O LUGAR MAIS SOMBRIO

LIVRO I

MILTON HATOUM

A noite da espera

3ª reimpressão

Copyright © 2017 by Milton Hatoum

Grafia atualizada segundo o Acordo Ortográfico da Língua Portuguesa de 1990, que entrou em vigor no Brasil em 2009.

O verso "A solidão é a tinta da viagem" (epígrafe) encontra-se no livro *Poemas*, de Adonis, trad. de Michel Sleiman, São Paulo, Companhia das Letras, 2012.

Capa
Alceu Chiesorin Nunes

Foto de capa
A noite da espera nº 5, Guilherme Ginane, 2017, óleo sobre papel, 65 × 50 cm.
Reprodução de Marcos Vilas Boas.

Foto da p. 8
Todos os esforços foram feitos para reconhecer os direitos autorais da imagem das páginas 8-9. A editora agradece qualquer informação relativa a autoria, titularidade e/ou outros dados, se comprometendo a incluí-los em edições futuras.
DR/ Jankiel Gonczarowski

Preparação
Márcia Copola

Revisão
Angela das Neves
Fernando Nuno

Os personagens e as situações desta obra são reais apenas no universo da ficção; não se referem a pessoas e fatos concretos, e não emitem opinião sobre eles.

Dados Internacionais de Catalogação na Publicação (CIP)
(Câmara Brasileira do Livro, SP, Brasil)

Hatoum, Milton
A noite da espera / Milton Hatoum. — 1ª ed. — São Paulo : Companhia das Letras, 2017.

ISBN 978-85-359-2992-8

1. Ficção brasileira I. Título.

17-08234 CDD-869.3

Índice para catálogo sistemático:
1. Ficção : Literatura brasileira 869.3

[2021]
Todos os direitos desta edição reservados à
EDITORA SCHWARCZ S.A.
Rua Bandeira Paulista, 702, cj. 32
04532-002 — São Paulo — SP
Telefone: (11) 3707-3500
www.companhiadasletras.com.br
www.blogdacompanhia.com.br
facebook.com/companhiadasletras
instagram.com/companhiadasletras
twitter.com/cialetras

Para João e Gabriel
Para Davi Arrigucci Jr.
À memória de Benedito Nunes

La historia que he narrado aunque fingida,
Bien puede figurar el maleficio
De cuantos ejercemos el oficio
De cambiar en palabras nuestra vida.
J. L. Borges, "La Luna"

الوحدة حبر السفر
[*A solidão é a tinta da viagem.*]
Adonis, "Nos braços de outro alfabeto"

440

LO 440

Inverno e silêncio. Nenhuma carta do Brasil.

Paris, dezembro, 1977

Cidade gelada, nem sempre silenciosa: algazarra de turistas na travessia de uma ponte sobre o Sena. Somos do mesmo país, andamos para margens opostas. Essas gargalhadas e vozes são verdadeiras?

Hoje, em Neuilly-sur-Seine, meu aluno francês me ofereceu café e quis conversar um pouco sobre o Brasil. O bate-papo, de início besta, aos poucos rondou um assunto mais cabeludo, que logo ficou grave; para ir da gravidade ao terror político bastaram duas xícaras de café e uns biscoitos. No fim, meu aluno, mudo, pagou os quarenta francos da aula e me deu dez de gorjeta. Foi o lucro desta tarde fria e cinzenta.

Embolsei os francos e caminhei pelo Bois de Boulogne: árvores sem folhas, uma fina camada de gelo no solo, canto de pássaros invisíveis. A quietude foi assaltada por lembranças de lugares e pessoas em tempos distintos: Lázaro e sua mãe no barraco de Ceilândia, a voz do Geólogo no campus da Universidade de Brasília, a aparição de uma mulher no quarto de um hotel em Goiânia, o embaixador Faisão recitando versos de um poeta norte-americano: "Apenas mais uma verdade, mais um/ elemento na imensa desordem de verdades...".

Outro dia vi o rosto de Dinah, segui esse rosto e deparei com uma francesa, que se surpreendeu com o meu olhar; outros rostos brasileiros apareceram em museus, na entrada de um cinema em Denfert, nas feiras da cidade.

Peguei o metrô até Châtelet, toquei violão no subterrâneo abafado e me lembrei das lições de música da Cantora. Não ouvi a língua portuguesa na plataforma nem nos corredores, peguei as moedas na capa do violão e andei pelo Marais até o Royal Bar. Um conhaque. Abri meu caderno de anotações e esperei meus três amigos, brasileiros. Marcamos às sete da noite.

Pessoas encapotadas passam na calçada da Rue de Sévigné, vozes enchem o Royal Bar, lá fora um saltimbanco atravessou o ar gelado e pediu uma moeda a uma mulher.

Oito e quinze da noite. Damiano Acante, Julião e Anita furaram.

Nem tudo é suportável quando se está longe...
A memória ofusca a beleza desta cidade.

Meu senhorio é um casal angolano que fugiu da guerra. Durmo neste quartinho em forma de trapézio; o teto é inclinado, só posso ficar de pé quando me aproximo da mesinha encostada na parede da janela. Almoço por aqui mesmo, num bistrô da Rue de la Goutte-d'Or, ou do Boulevard de la Chapelle, a caminho do metrô; depois atravesso a cidade para dar aulas particulares, na hora do rush desço na estação Châtelet, ganho uns trocados com a voz e o violão, e volto a Aubervilliers depois das dez da noite, quando os dois angolanos dormem. Ele é porteiro de um hotelzinho do bairro, e a mulher está desempregada. Conversam pouco comigo, sempre em português, e entre eles falam em quimbundo.

Hoje acordei assustado, levantei para beber água e bati a cabeça no teto baixo. Manhã escura, meu mau humor cresceu com a lembrança do sonho.

De noitinha, fui ver Julião e Anita num café do Boulevard Arago. Julião me deu uma caderneta de capa verde, manchada, folhas enrugadas. Li na primeira página um poema de Ox e tentei decifrar os garranchos das outras.

"Meus últimos dias no Brasil, Martim. A debandada geral, cara... Lúcifer solto na Pauliceia. Não quero guardar a porra desse diário. Se eu reler esses rabiscos, vou sentir mais saudade dos amigos, da escola de samba e da Vila Madalena. A saudade destrói e seca o coração."

"Eu também fiz anotações", disse Anita. "Acho que esqueci a caderneta em São Paulo, na casa do Ox. Eu tinha anotado a primeira noite com o Julião e outras coisas da nossa república na Vila Madalena."

Quando Julião foi atender um cliente, Anita disse que ele estava desanimado com a vida em Paris. "Não sei se é o inverno ou a língua, Martim. Ele está aprendendo francês, mas ainda se atrapalha muito. Fala fazendo mímica, é o mímico deste bar. Os clientes se divertem quando ele gagueja em francês, faz mímica e diz baixinho: '*Pardon, pardon*'. Ganha uns trocados com o show, depois solta uns palavrões em português. No fim da noite, ele se lembra do Brasil e fica na fossa. Com tanta saudade assim, acho que vai adoecer."

Rue de la Goutte-d'Or, Paris, 2 de janeiro, 1978

"Você passou o Ano-Novo aqui, olhando a noite por essa janelinha?", disse Damiano Acante.

Era o nosso primeiro encontro em Paris. Minha decisão de viajar para cá foi, em parte, influenciada por Damiano. Na nossa última conversa em São Paulo, ele me deu o número de um telefone parisiense e disse: "Você aluga um quartinho num bairro de imigrantes, Martim. Um teto provisório. Pode dar aulas de português e pagar o aluguel. No final de dezembro, quando eu chegar em Paris, arranjo um estúdio para você".

Damiano ainda ficou uns dias em São Paulo, não sei qual foi o trajeto da viagem dele: as fronteiras por onde passou, as escalas até desembarcar em Paris. Um expatriado pode esquecer seu país em vários momentos do dia e da noite, ou até por um longo período. Mas o pensamento de um exilado quase nunca abandona seu lugar de origem. E não apenas por sentir saudade, mas antes por saber que o caminho tortuoso e penoso do exílio é, às vezes, um caminho sem volta.

Ele mantinha a mesma expressão serena e misteriosa, a mesma voz sem alarde, só alterada quando dirigia os ensaios de uma peça. O rosto meio chupado estava ensombrecido por uma barba grisalha, que diminuía ainda mais os olhos pequenos. Não disse onde morava. Sentado no colchão, observou o teto inclinado da mansarda, depois olhou de relance os livros e cadernos na sacola de lona. Pegou um texto encadernado, deu uma folheada e perguntou: "Você guardou o *Prometeu acorrentado*? Será que vale a pena colecionar fracassos?".

Em seguida se desculpou por não ter ido ao Royal Bar na semana passada: "Foi complicado deixar o Brasil, Martim. Complicado e arriscado".

"Todos me deram bolo no Royal Bar", eu disse.

"Todos, como?"

"Você e dois amigos de São Paulo: Julião e Anita. Trouxeram dinheiro de São Paulo e alugaram um estúdio na Rue Daguerre."

"Rue Daguerre é um lugar caro. Você pode alugar um estúdio num bairro mais barato, Martim. A proprietária é uma amiga francesa, uma companheira. O estúdio fica na Rue d'Aligre, a rua do mercado, ao lado da Place d'Aligre. O aluguel é uma pechincha: quatrocentos francos."

Quatrocentos francos por mês: o valor de oito ou dez aulas de língua portuguesa. Pago sessenta por semana por um quarto em que mal posso ficar de pé.

"Vou dividir esse estúdio com alguém?"

"Não. É um estúdio pequeno, mas um pouco mais espaçoso que este canil. E tem um banheirinho."

Colocou o texto de *Prometeu* na sacola:

"A embaixada de Cuba ajuda um pequeno grupo de exilados: o Círculo Latino-Americano de Resistência, Clar. Vamos imprimir um boletim de notícias e um tabloide. Você apenas nos ajuda a distribuir exemplares. De vez em quando um amigo brasileiro vai dormir no estúdio, mas por pouco tempo. Você tem medo de alguma coisa? O pior já passou, Martim. Sei o que você está sentindo. Tenho muitos contatos no Brasil, não desisti de procurar tua mãe."

Última noite na Rue de la Goutte-d'Or, Paris, inverno, 1978

Minha mãe me esperava havia anos na casa de madeira de um sítio; perguntou por que eu tinha demorado tanto para encontrá-la.

Onde era esse sítio? Ipês floridos na paisagem ondulada, o céu e a luz do Planalto Central. Podia ser um sítio perto de Brasília, algum lugar no Distrito Federal ou em Goiás.

Queria ter perguntado: Quem demorou, mãe? Quem adiou nosso encontro?

Não disse nada no sonho, e fiquei remoendo meu silêncio.

Agora, acordado, é tarde demais.

Rue d'Aligre, Paris, março, 1978

Tirei da sacola a papelada de Brasília e São Paulo: cadernos, fotografias, cadernetas, folhas soltas, guardanapos com frases rabiscadas, cartas e diários de amigos, quase todos distantes; alguns perdidos, talvez para sempre.

Comecei a datilografar os manuscritos: anotações intermitentes, escritas aos solavancos: palavras ébrias num tempo salteado.

1.

Rue d'Aligre, Paris, março, 1978

Um artista, um pintor. Sabia apenas isso do homem que seduziu minha mãe. Em 22 de dezembro de 1967, ela saiu de casa e foi viver com o artista. Essa decisão inesperada, talvez intempestiva, me perturbou. Meu pai tinha certeza de que minha mãe voltaria, mas ela me disse que não o amava mais, e que nós dois e o artista moraríamos juntos.

Uma tarde meu pai me flagrou conversando com Lina, pegou o telefone e disse que era tudo uma vadiagem. De repente o rosto de Rodolfo empalideceu. "Como isso pôde acontecer? Onde você está morando? Você vai desgraçar minha vida? E o nosso filho?"

Sem me olhar, fez um gesto com a mão: que eu saísse do apartamento.

Do lado de fora, escutei a voz repetir: "Nunca mais, nunca mais...".

Rodolfo não me contou o que Lina lhe havia dito, e essa conversa permanece secreta.

Morávamos num pequeno apartamento na rua Tutoia, minha mãe dava aulas particulares de francês no Paraíso, na Bela Vista, nos Jardins e na Vila Mariana; não queria depender do meu pai, um engenheiro civil, formado na Escola Politécnica.

Passei o Natal de 67 com Lina e tio Dácio no chalé dos meus avós maternos, em Santos. Minha avó Ondina e sua empregada Delinha prepararam peixe ao forno e um suflê de camarões e frutos do mar; Ondina se dirigia apenas ao marido, que sempre foi mais maleável que ela. Para meu avô, um temporal na Baixada Santista, uma greve dos portuários, uma criança perdida no mangue, um louco que aparecia nu no canal de José Menino, tudo estava nas mãos do destino. E foi ao destino que ele atribuiu a separação dos meus pais. Ondina não lhe deu atenção: falou da fraqueza moral e sentimental da minha mãe, das fantasias que nos castigavam. Eu ia elogiar o suflê, o peixe e os pastéis de nata, mas Lina se antecipou. "Não é fraqueza nem fantasia", ela disse, amassando um guardanapo. "Não posso mais viver com Rodolfo... e nem quero falar disso na frente do meu filho."

O fim da noite natalina foi fúnebre: Ondina saiu da mesa e avisou que não ia festejar o Ano-Novo. Escutamos passos no corredor, Delinha seguiu esses passos e as duas mulheres desapareceram. Meu avô, bem-humorado, sugeriu um passeio até o porto.

"Nessa escuridão?"

"Lá fora está menos escuro que nesta sala, Dácio. Parece que apagaram tudo aqui dentro. Martim vem comigo?"

Andamos pelas ruas do Macuco até o canal. As catraias estavam encostadas nas margens, a passagem do canal para o estuário formava um meio círculo escuro, parecia a entrada de um túnel tenebroso. Os vagões de carga estavam inertes na linha do trem; mais longe, os guindastes, empilhadeiras e armazéns eram formas quase indistintas. A ausência de marinheiros e de estivadores e a iluminação fraca no canal e no cais adensavam o silêncio no porto do Macuco, como se o mar tivesse secado na noite natalina. Contornamos a outra margem e, na travessia da pequena ponte sobre o canal, vimos dois corpos deitados numa catraia que oscilava na margem.

"Ondina não se conforma com a separação dos teus pais", disse meu avô. "Nunca vai aceitar. Ela não devia se intrometer nessa história, mas a gente pode mudar a natureza de uma pessoa? Sei que Lina gosta de outro homem, Martim. Mas não é só isso. Você ouviu tua mãe dizer que ela não pode mais viver com o teu pai. O destino dela está nessas palavras."

Quando perguntei por quê, ele me abraçou, antes de dizer: "É difícil explicar. Um dia você vai descobrir os motivos".

No chalé, todos dormiam; deitei ao lado da minha mãe e bem cedinho regressamos a São Paulo. Fiquei na rua Tutoia, e tio Dácio foi embora com minha mãe. Nesse dia, comecei a arrumar minhas coisas para morar com ela e o artista. Meu pai aproveitou o feriado para encaixotar os livros de engenharia e fazer a mala.

Ele ia se mudar para o nosso bairro ou para longe do Paraíso?

O homem estava ressentido demais para dizer uma palavra; era raro meu pai falar diretamente comigo: as palavras dirigidas a mim eram ditas a minha mãe, e agora não havia espelho nem anteparo às palavras paternas. Foi nesse quase mutismo que vivi a última semana de dezembro. Na manhã do dia 31, minha mãe telefonou: que eu fosse ao apartamento do tio Dácio, nós íamos almoçar no centro.

Ele morava num quarto e sala na avenida São Luís; o quarto era um laboratório fotográfico, tio Dácio dormia na saleta quase vazia, os livros arrumados numa estante de aço; nas paredes, fotografias em preto e branco de rostos de imigrantes portugueses, espanhóis, italianos, e o retrato de uma família num cortiço do Bexiga. Lina tentava vender essas fotos a suas alunas e aos clientes da Livraria Francesa; ela o visitava à revelia do meu pai, que reprovava o trabalho do cunhado:

"Largou a engenharia para ser fotógrafo marginal. Cedo ou tarde vai puxar carroça no centro de São Paulo e dormir num cortiço."

Na última visita do tio Dácio à rua Tutoia, Rodolfo interrompeu uma conversa sobre poetas e fotógrafos, e disse que o progresso e a civilização eram um triunfo da engenharia. Tio Dácio negou essa frase com um sorriso irônico, depois disse que vários engenheiros, médicos e cientistas foram também grandes artistas. "Nossa turma da Politécnica estudou os cálculos do engenheiro e poeta Joaquim Cardozo. Você se interessou pela estrutura da Igreja da Pampulha, Rodolfo. Estudou a estrutura complicada da Catedral de Brasília. Niemeyer projetava e Cardozo fazia os cálculos estruturais. Os dois são artistas."

Tio Dácio e meu pai tinham sido colegas na Politécnica; quando se diplomaram, meus avós e Lina subiram a serra para participar da festa de formatura, onde Rodolfo conheceu minha mãe, uma moça de dezenove anos que acabara o colegial e queria estudar literatura na USP, mas Ondina a proibiu de morar na capital.

Como teria sido essa festa de engenheiros recém-formados, o primeiro encontro de Rodolfo com Lina, a ex-aluna do Stella Maris bailando com o jovem engenheiro, os dois vigiados por Ondina? Minha mãe subiu a Serra do Mar para casar e sair da casa dos pais, pensei, e eu sou filho desse baile de formatura.

Lá de baixo vem a algaravia do Marché d'Aligre, e no fim da feira surge na memória o resto da conversa de Dácio com meu pai.

"Poucos brasileiros conhecem o engenheiro-poeta Joaquim Cardozo, mas sem ele não existiria a Catedral, o Palácio do Congresso e outros palácios de Brasília."

"Você jogou no lixo a carreira de politécnico, Dácio. Tira fotos de operários, imigrantes e biscateiros. Quem vai comprar essas porcarias?"

Dácio mirou o rosto do meu pai: o olhar parecia selar uma ruptura para toda a vida; e, quando Rodolfo foi embora, os dois irmãos ficaram sussurrando grandes segredos na sala. Talvez conversassem assim naquela tarde de 31 de dezembro, antes de eu entrar no apartamento da São Luís. Eu disse que estava pronto para sair da Tutoia, Rodolfo também se mudaria, eu não sabia para onde. Dácio e Lina se entreolharam: parecia que todos os rostos imigrantes nas paredes me examinavam com um olhar sofrido, mas não desorientado. Eu é que fiquei desnorteado quando Dácio afirmou à queima-roupa: "Você vai morar com Rodolfo em Brasília, Martim".

O olhar de Lina devolvia minha apreensão.

"Brasília?", repeti. "Com meu pai em Brasília?"

"Ele conseguiu um bom emprego numa repartição da capital. Quer viver longe da tua mãe. É mais fácil esquecer."

"Fui ao Colégio Marista e conversei com o professor Verona", disse Lina. "Ele já entregou para o teu pai os documentos da transferência e uma carta para o diretor do teu colégio em Brasília."

Eu não podia morar com meus avós em Santos?

Minha mãe disse que Ondina era rígida demais, não admitia a separação, eu sofreria num ambiente hostil e seria pior para mim. Eu não podia viver com ela e seu companheiro por um motivo: dinheiro.

"E é também por isso que você não pode morar comigo", acrescentou tio Dácio.

Os rostos imigrantes sumiram da parede, meu olhar um pouco turvo via traição no rosto da minha mãe. A falta de dinheiro era uma desculpa ou uma razão verdadeira? Essa pergunta não me veio à mente no último dia de 1967, quando as palavras se embrulhavam na minha cabeça, não saíam da boca, e continuaram atropeladas no restaurante da praça Dom José Gaspar, onde eu almoçara outras vezes com Lina e meu tio. Ainda vejo as árvores altas e frondosas da praça, a Biblioteca Mário de Andrade e, ali perto, a Livraria Francesa, aonde Lina me levava nas manhãs de sábado em que meu pai ia ver um edifício em construção.

Eu e Lina mal tocamos na comida, nossas mãos entrelaçadas suavam debaixo da mesa, como se o medo e a angústia, ausentes nos almoços do passado, agora me ameaçassem. O amante da minha mãe chegou no fim do almoço: mais alto do que eu, moreno e magro, aparência desleixada; o rosto anguloso, expressivo e talvez astuto buscava nos meus olhos uma intimidade que eu recusava. Não toquei a mão estendida para mim, Lina me advertiu com o olhar, e eu me perguntava onde e como ela havia conhecido esse sujeito que nunca seria meu amigo. Dácio e ele ocuparam outra mesa, a voz do artista me irritava, tudo nele parecia insuportável, sentia a mão suada de Lina, e o meu sofrimento aumentava. O artista não demorou no restaurante: piscou para minha mãe e deu um adeus com um gesto breve e apressado. Lina largou minha mão e cobriu o rosto, tio Dácio nos acompanhou até a calçada e se despediu de mim. Pegamos um táxi para o nosso bairro, descemos perto da praça Santíssimo Sacramento e entramos na padaria Flor do Paraíso.

"Teu pai decidiu morar em Brasília", ela disse, segurando e apertando minhas mãos. "Eu e o meu companheiro... nós nos apaixonamos, Martim. Você vai entender. Escreve para o endereço do teu tio. Brasília é uma cidade diferente, mas você vai gostar de lá."

Quando ela ia me ver?

"Daqui a poucos meses, filho."

Escutei uma voz meiga e um choro sufocado, depois senti o corpo da minha mãe: o abraço mais demorado e triste da minha vida de dezesseis anos.

2.

Hotel das Nações, Brasília, janeiro, 1968

As palavras do meu pai sobre Brasília se perderam durante a viagem de ônibus, quando eu pensava na minha mãe. Ele, também em vigília, cobria meu corpo com uma manta de lã. Eu não sentia frio, sentia a vertigem da distância, da separação. O que ele pensava nessa noite insone de uma viagem sem fim? Repetia baixinho: "Um artista, um vadio na vida da tua mãe...".

Em algum momento mencionou uma Rural-Willys. Talvez sonhasse.

Ônibus cinzentos na rodoviária, o amanhecer ensolarado, a voz do meu pai dizendo ao motorista do táxi: "Hotel das Nações", uma corrida breve numa avenida larga que terminava no horizonte.

Saí do hotel à procura do centro da capital, mas não o encontrei: o centro era toda a cidade. Quando me perdia nas superquadras da Asa Sul, ou me entediava por não ver alma viva no gramado ao redor dos edifícios, andava até um setor comercial e a avenida W3 Sul, onde havia poucas pessoas, ônibus, carros. No caminho de volta, passei pela galeria do Hotel Nacional e parei diante da vitrine de uma livraria. Na porta, um homem gorducho, rosto sanguíneo, perguntou se eu estudava no Plano Piloto ou numa cidade-satélite.

"Não sabe o que é uma cidade-satélite? Então chegou há pouco tempo. E chegou mal informado."

Abriu um mapa do Distrito Federal, indicou favelas e cidades-satélites, depois me apresentou ao Jairo, o gerente, e à livreira Celeste, uma moça de Anápolis.

Jorge Alegre, o dono da livraria, é um português, nascido no Porto; viajara para o Rio em 1962, e no começo do ano passado se mudara para Brasília. "A Encontro abre às nove da manhã, e não tem hora para fechar. Às vezes abre aos domingos e feriados. No auditório há várias atividades: ensaios de dramaturgia, palestras, projeções de filmes, exposições de pintura e até festas."

No mezanino, ele me mostrou caixas de livros estrangeiros e brasileiros. Olhou para baixo quando três homens engravatados entraram na Encontro. "Esses senhores são juízes da Suprema Corte", disse Jorge Alegre. "Estão hospedados no Hotel Nacional. Fazem parte do pequenino rebanho da alta magistratura. São carneiros velhos e obedientes, não costumam desafiar os militares. Aliás, um deles é almirante."

No Hotel das Nações escrevi para minha mãe:

*

A primeira pessoa que conheci na capital se chama Jorge Alegre, é dono de uma livraria e me deu um mapa de presente. Brasília é uma cidade para quem tem asas ou pode voar. O espaço é tão grandioso que diminui os edifícios (blocos) do Eixo Monumental, manchados por um pó vermelho. Escrevo e olho a fotografia que você me deu na Flor do Paraíso: "Para que se lembre de mim todos os dias". A viagem durou mais de quinze horas e eu dormi pouco, eu e meu pai dormimos muito pouco. Onde você vai morar? Por que não me deu seu endereço?

Meu pai está na Novacap, o escritório de engenharia e arquitetura; disse que vai comprar uma Rural-Willys, não pode viver sem carro em Brasília, e eu não queria viver aqui. Os bairros e avenidas têm siglas com letras e números, me perdi no primeiro passeio pelas superquadras da Asa Sul, parecia que estava no mesmo lugar, olhando os mesmos edifícios. São bonitos, cercados por um gramado que cresce no barro; essa beleza repetida também me confundiu. Tudo confunde, nada lembra lugar algum. O céu é mais baixo e luminoso, e as pessoas sumiram da cidade.

Asa Norte, Brasília, março, 1968

"Esses edifícios da Asa Norte foram construídos às pressas. A pintura da fachada desbotou, o reboco é uma porcaria, já está estufado. Inauguraram uma cidade que ainda é um canteiro de obras."

Rodolfo se irrita com o acabamento do nosso bloco na quadra 406 e com os ratos e baratas no lixo espalhado no térreo; irrita-se por morar na Asa Norte, o setor da capital que aloja funcionários modestos do governo e estudantes que pagam um aluguel barato ou invadem apartamentos desocupados. Ele se julga um alto funcionário, um engenheiro civil qualificado, razão por que merecia morar na Asa Sul.

"Nosso apartamento no Paraíso era bem menor que este", eu disse.

"Era menor, mas você quer comparar o nosso bairro com essa Asa Norte? Isso não é bairro, não é nada. O que é que os arquitetos comunistas tinham na cabeça quando projetaram essa droga? No setor comercial tem uma padaria, um bar e umas lojas horrorosas, vazias. O transporte público é outra droga. O bloco vizinho é um pardieiro, e aqui mesmo está cheio de gente do interior de Goiás e Minas. Uns broncos. Um ônibus velho passa de hora em hora nessa avenida L2. A única vantagem é a tua escola, ali na entrada do campus da universidade."

"Mas você quis morar nesta cidade", eu disse, olhando o campus da UnB e o lago Paranoá. "Se a gente tivesse um bote de borracha ou uma canoa..."

"Não tinha vontade de morar aqui. Brasília não significava quase nada para mim. Mas, quando tua mãe saiu de casa, decidi procurar um emprego em outra cidade."

A pausa de Rodolfo aguçou minha curiosidade. Ele deu o nó da gravata, a mesma que usava quando ia à missa em São Paulo; não perdera o hábito de alisar as argolas da estampa da gravata: sempre fazia isso, depois de ouvir Lina dizer que não queria ir à igreja.

"Eu não podia viver perto da tua mãe e daquele sujeito. Seria pior. Ela nos surpreendeu, e me traiu. Você também foi traído. Agora vou até o fim."

Nesse domingo não insistiu para que eu fosse à missa com ele.

Pensava nas palavras do meu pai, sem entender o significado das frases: *Você também foi traído. Agora vou até o fim.* Era mais uma das dúvidas obscuras que me perseguiam, que me perseguem até hoje.

Na tarde de uma sexta-feira, depois da aula de história, fui ao pátio interno da escola para ler um livro sobre a escravidão; mais tarde jantaria no Palácio da Fome, o bandejão da UnB. Lia no pátio silencioso, quando escutei passos e risos. Uma voz se dirigiu a mim:

"Hoje a gente tem plateia."

Era um homem muito magro, de olhar calmo e indagador. Estendeu a mão e se apresentou com uma reverência meio burlesca: "Damiano Acante. Você pode ficar aqui e assistir a aula. Meu grupo de artes cênicas vai se exibir pela primeira vez para um espectador solitário".

Apontou para cada um dos cinco alunos:

"Esse varapau é o Nortista, um comediante do Amazonas apaixonado por Vana, nossa grande atriz em formação. Ângela e Fabius também estão aprendendo, só Dinah conhece os segredos do teatro."

Estudantes do segundo colegial, nenhum da minha sala. Dinah quis ver a capa do meu livro e perguntou se eu gostava de teatro.

"Ele parece tímido demais pra encenar."

"A timidez desaparece no palco, Ângela", disse Dinah, rindo. "Quer ensaiar com a gente?"

Recusei com um gesto, e, quando ia sair, ela me conduziu até o canto do pátio: "Nosso único espectador vai embora? Acho que é novato na escola".

"Um novato acanhado", acrescentou o Nortista.

Dinah e Ângela me examinavam com o olhar, como se eu fosse um bicho estranho, quieto no canto do pátio. Fiquei espiando a aula. Ensaiaram cenas breves, dramáticas e cômicas, às vezes sem voz, ou com mímica, fingindo pavor ou dúvida ou desconfiança. O professor corrigia a expressão facial e os gestos de Fabius e Vana, que pareciam distraídos. No fim dos exercícios cênicos, o Nortista e Vana deram uma cambalhota, caíram agachados e roçaram os lábios; Ângela ficou sentada em outro canto do pátio, as mãos em concha sob os seios grandes, que estufavam a camiseta amarela; olhava com uma fixação de devota a parede branca de tijolos vazados, ignorando o que Damiano Acante dizia sobre dicção, respiração e emoção; depois ele traçou com um giz vermelho um círculo grande e pediu a Vana e ao Nortista que encenassem um diálogo curto, menos de um minuto. Vana não sabia o que dizer, os olhos de Ângela se desviaram da parede para o meu rosto: um olhar que parecia não esconder nada.

"Um diálogo qualquer", pediu Damiano Acante, batendo palmas. "Vocês podem improvisar."

"O diálogo que a gente ensaiou na tua casa, Vana", sugeriu o Nortista. "Tu podes começar."

Vana, com uma expressão de surpresa, apontou para o Nortista: "Quem é esse cara? O que ele quer?".

"Uma passagem", pediu o Nortista.

"Uma passagem? Para onde?"

"Para o fim da linha."

"Qual fim? O redondo ou o quadrado?"

"O fim mais próximo."

"É inútil gritar", disse Vana.

"Desculpe! Eu quis dizer o fim mais distante", disse o Nortista, com uma voz meio apagada.

"Tu não precisas de passagem, tu precisas de um passaporte, cara."

Os dois, em silêncio, ficaram parados no centro do círculo. Damiano Acante se dirigiu ao Nortista: "Você acertou na dicção, respiração e emoção. E também no tempo da fala".

O Nortista saltou para fora do círculo, o olhar de Vana interrogou o professor.

"Você apenas decorou o texto", disse Damiano. "E sabe que não basta decorar."

"E decorou mal. A tradução desse trecho é livre demais."

"É mesmo, Dinah?", perguntou Vana, com um pouco de raiva.

Ângela se levantou, esticou os braços e girou-os com rapidez, como se afastasse tudo diante de si. Andou até a entrada do pátio e disse a Fabius que hoje não ia dormir no apartamento dele. Depois perguntou quem era o autor do texto.

"Um irlandês misterioso", respondeu Dinah. "Um irlandês genial."

"Quem traduziu esse trecho?", perguntou Damiano Acante.

"Eu", afirmou Dinah, "mas Vana estragou minha tradução. Ainda bem que o Nortista é ator. E um ator de verdade não precisa de passaporte, pode encenar sozinho até o fim mais distante."

Vana ia dizer alguma coisa, mas Damiano encerrou a aula. Ela e o Nortista saíram abraçados, Fabius e Ângela os seguiram de mãos dadas.

"Vana não gosta de teatro", disse Dinah, "ela participa do nosso grupo pra ficar perto do Nortista. O Fabius também não se interessa... nem ele nem Ângela... só o Nortista e Lázaro."

"Lázaro...", repetiu Damiano. "Vocês estão ensaiando em Taguatinga?"

"Todo fim de semana, no galpão da Escola Industrial e no Centro Ave Branca", disse Dinah. "Lázaro é mais que um ator. Você sabe."

Damiano olhou o livro de história nas minhas mãos: "E esse novato? Por que não entra no nosso grupo?".

"Ele prefere observar", riu Dinah. "Ficou de olho o tempo todo. Um olho nos exercícios, o outro em Ângela."

Brasília, março, 1968

"Também sinto saudades, filho. Teu pai te dá atenção? Vocês passeiam?"

Eu disse que Rodolfo tinha comprado um bote de borracha, amanhã a gente ia almoçar em outra cidade e depois remar no lago Paranoá. A voz da minha mãe sumia e voltava. Entendi que ela não poderia viajar tão cedo para Brasília. Não falei mais, talvez por estar emocionado, e também frustrado. A voz, tão longe, foi abafada por sons estridentes.

Larguei o telefone e senti a presença do meu pai.

Sério, braços cruzados, me encarava com um olhar que não decifrei.

Quando minha mãe olhava para mim, podia intuir as palavras, emoções, advertências... O olhar dela dizia: Hoje você brigou no jogo de futebol, teu pai está aborrecido. Notas vermelhas no boletim: Teu pai está furioso.

O homem, aborrecido ou furioso, não me olhava: a repreensão e o castigo eram anunciados com palavras e gestos.

Agora, eu e meu pai juntos, nossos olhares se encontram em algum momento da noite.

O que Rodolfo desejava dizer quando desliguei o telefone?

Não perguntei nada. Ficou amargurado na noite desta sexta-feira, talvez ruminando a vida amorosa de sua ex-mulher.

Neste sábado saímos do Plano Piloto e percorremos uma estrada quase deserta até Planaltina; depois do almoço, meu pai me ensinou a dirigir a Rural; enquanto eu fazia manobras, ele criticava motoristas negligentes, irresponsáveis e bêbados. "Você deve ficar atento para o perigo e a ameaça dos outros. Não falo só dos motoristas. A qualquer momento alguém pode nos trair, humilhar, maltratar. Tua mãe fez isso comigo. Não quero que façam com você."

Pensei no egoísmo de Lina, na sua vida com o artista magro, desleixado, no sorriso que parecia falso; pensei na infelicidade do meu pai, que nessa tarde falara comigo. Seria possível vivermos juntos sem palavras?

De volta ao Plano Piloto, ele dirigia atento, as mãos tensas agarradas ao volante, a cabeça oscilando devagar, um pouco para a direita e depois para a esquerda.

Pouco antes das quatro atravessamos a ponte do Bragueto. Cheiro de enxofre e estrume nos tufos de grama da Asa Norte.

O que essa cabeça negava com tanta exatidão e insistência?

Carregamos o bote de borracha até a margem do Paranoá. Perdia o ritmo das remadas quando um pássaro triscava a água e voava na direção dos blocos da Colina; na extremidade norte do lago, Rodolfo disse a primeira frase do nosso passeio: "O sol do planalto engana".

Molhou o rosto, remamos até o Iate Clube, encostamos o bote na beira do lago e subimos ao atracadouro; vimos mulheres de chapéu e maiô sentadas na varanda, homens jogando tênis e vôlei nas quadras. Íamos tomar um refrigerante no bar, mas um segurança nos barrou. Quando saímos do clube, meu pai decidiu interromper o passeio.

Fiquei no meu quarto, lendo e estudando; de vez em quando lembrava a reação de Rodolfo ao ser barrado; ele ia discutir com o homem, mas desistiu. "Um engenheiro da Politécnica barrado por um analfabeto", desabafou, enquanto remava para a margem. O rosto, frustrado, estava queimado pelo sol enganoso do planalto.

No fim da tarde, fui até a cozinha e vi Rodolfo de pé na sala; olhava o lago ou o cerrado. Ou não olhava nada: fazia um gesto afirmativo com a cabeça, ignorando minha presença.

O gesto era uma decisão ou uma fatalidade?

Domingo, março, 1968

Hoje cedo ele não quis remar comigo: preferiu verificar os cálculos da estrutura de um bloco na Asa Sul. Remei à outra margem do Paranoá; só agora percebi que não pensei na minha mãe, e sim em duas colegas da escola: Dinah e Ângela. No meio da travessia me masturbei imaginando o rosto de Dinah no corpo de Ângela; troquei o rosto de uma pelo corpo da outra. Fiz isso mais duas vezes e senti o mesmo prazer.

Nuvens grandes e quietas se refletiam na água cor de bronze, levemente ondulada. Brasília dava uma impressão de cidade vazia, abandonada às pressas.

O sol ralo iluminava o ar e o silêncio.

3.

Rue d'Aligre, Paris, primavera, 1978

Primeiras palavras do hemisfério Sul: uma carta bilíngue, enviada de Santos por Ondina.

Com letras firmes e graúdas, minha avó começou contando que encontrara "um sapo enorme e muito mimoso *au pied du palmier impérial*".

*

É o novo morador do chalé, Martim. Ele e o gato são amáveis e compensam a rabugice de Delinha, cada vez mais abusada. Ela vive no meu chalé há trinta e oito anos, agora tem preguiça de cozinhar, mas ainda me ajuda a preparar aqueles doces portugueses, a limpar a casa e cuidar do jardim e do quintal. Envelhecemos juntas e, graças à velhice, somos inseparáveis.

Teu avô fala muito de ti; ele colocou na sala uns objetos que lembram a tua infância no chalé: uma carta náutica, a bússola prateada com a agulha preta, as fotografias de cargueiros e navios de passageiros alemães, italianos e japoneses que vocês visitavam. Ele não sabe por que você foi viver em Paris, por que viajou de repente, sem ao menos nos visitar antes. Mas ele está conformado, e até pediu para te mandar uns cinquenta dólares por mês. Eu também não sei por que você viajou nem como conseguiu dinheiro para comprar a passagem. Você fugiu de alguma coisa, uma ameaça? Em março me enviou um bilhete com o endereço de Paris. *C'est tout?* Vai escrever para mim? Ou vai sumir de vez? Esta é uma família de sumidos e desgarrados, que não sentem saudades.

Um beijo saudoso dos teus avós. Delinha também te manda beijos.

*

O nome da minha mãe, ausente na carta.

4.

Asa Norte, Brasília, domingo, 31 de março, 1968

Na carta para minha mãe ia mencionar minha timidez, a dificuldade de me aproximar dos cinco alunos de artes cênicas.

Minhas anotações são um modo de conversar com ela, de pensar nela. Coloquei dentro do caderno a folha de papel dobrada e amassada, com apenas duas palavras: "Querida mãe".

Talvez não lhe conte o que aconteceu entre sexta-feira e ontem.

Sexta: as aulas da tarde foram canceladas, a maioria dos alunos do Centro de Ensino Médio tinha ido à assembleia no campus. Durante o almoço no bandejão, os universitários falavam de comícios-relâmpago e protestos em vários lugares: rua da Igrejinha, praça Vinte e Um de Abril, calçada da Casa Thomas Jefferson... Um alto-falante no barracão da Federação de Estudantes transmitia uma música estranha, parecia marcha militar. Dinah distribuía panfletos e me chamou. Ombros nus, lábios vermelhos, o olhar inteligente no meu rosto. Quando ela me deu um panfleto, consegui dizer que ia ver um filme no Cultura.

"Filme? Ontem a polícia matou um estudante no Rio. Não é hora de ir pro cinema. Mais tarde o Geólogo vai fazer um comício perto da Escola Parque. O Nortista e o Fabius vão pra lá."

"Ângela e Vana também vão?"

"Vana está indecisa, Ângela não vai. Ela protesta sozinha no apartamento do pai dela, o senador."

Alguém chamou Dinah, os ombros nus sumiram. Dei uma espiada pela janela do barracão: dois estudantes enchiam garrafas com um líquido claro e colocavam estopa no gargalo; Dinah e um cara magro escreviam numa faixa de pano a palavra "Assassinos". Quando ela me viu, foi até a janela e disse que a gente podia se encontrar às cinco da tarde na Igrejinha; voltou para o mesmo lugar, o magricela aumentou o volume da marcha militar; me afastei desse barulho, decidido a ir ao cinema, depois me encontraria com Dinah na Igrejinha. O ônibus para a Asa Sul parou no começo da W3, bloqueada. Desci por uma rua paralela, a W2, e, quando me aproximava do Cine Cultura, vi a Escola Parque e a praça Vinte e Um de Abril cercadas por viaturas policiais; a sirene de uma radiopatrulha me assustou, corri na direção da W1 e me encostei numa coluna de um bloco da 308, perto da Igrejinha. Por que estava fugindo e me escondendo? O zelador do bloco saiu de uma guarita azul e perguntou o que eu fazia ali. "Nada", respondi. "Só queria ir ao cinema." Ele indicou a direção do Cine Brasília, como se me mandasse embora. "O cinema tá fechado", disse, "os estudantes vão fazer passeatas e comícios, o pau vai comer nessa bagunça." Voltou para dentro da guarita. Fui até a Igrejinha, contornei o pequeno templo fechado, observando os painéis de azulejos com desenhos azuis e brancos: pássaros voando para o chão, em queda vertical. Só então li o panfleto. Falava do assassinato do estudante no Rio, a palavra "liberdade" apareceu seis vezes. Dinah tinha escrito o texto? Um Dauphine branco passava devagar pela W1 e brecou perto de uma Veraneio na contramão. O motorista da Veraneio acendeu o farol alto, mas ainda não estava escuro. Dois homens à paisana saíram da Veraneio e agarraram o motorista do Dauphine; outro homem, mais forte, fisgou do banco traseiro uma moça baixinha e magra. Algemou-a e enganchou no pescoço dela o polegar e o indicador, feito uma forquilha. O motorista do Dauphine foi arrastado até a frente da Veraneio, o clarão dos faróis o cegava enquanto ele se defendia dos socos e pontapés; a moça magra foi arrastada até o clarão, depois o corpo amolecido e ensanguentado do motorista do Dauphine foi jogado no porta-malas da caminhonete, a moça e os policiais sentaram no banco traseiro e a Veraneio tomou o rumo do Eixo Rodoviário. Tudo ficou silencioso, o carro branco no mesmo lugar, portas abertas. Vomitei a gororoba do almoço, joguei o panfleto no gramado seco. O desejo de ver Dinah na Igrejinha era tão grande quanto o medo. Eu queria sair dali, pegar o bote de borracha e remar no lago, mas ir da Asa Sul à Norte era como viajar para outra cidade, não há ruas nem becos sinuosos por onde fugir, os imensos espaços livres de Brasília são uma armadilha. Escutava gritos e barulho de bombas, as lojas do setor comercial estavam fechadas, caminhei entre as superquadras e vi na W3 um ônibus parado e vazio, que ia à Vila Planalto. Dois estudantes saíram de trás do ônibus, atiraram pedras numa Kombi da polícia e sumiram no outro lado da avenida. Fui a pé à Asa Norte, andava e corria, com a sensação de que nunca ia chegar em casa. Já eram cinco e meia quando vi meu pai na sala: "Você estava na arruaça dos estudantes?".

"No cinema", menti, quase sem fôlego.

"Agora você deve ficar aqui. As repartições públicas, lojas e escolas foram fechadas, os dois eixos estão policiados."

Disse que ia remar no lago.

"Daqui a pouco vai anoitecer. Você vai remar no escuro? Vou te esperar às seis e meia na entrada do Minas Brasília Tênis Clube."

Enfiei no bolso da calça uma caneta e uma folha de papel dobrada, peguei o bote, atravessei o campus e entrei numa trilha desconhecida; perto da beira do lago, vi um bloco de concreto armado, com pilares redondos, grossos e inacabados: carcaça de uma obra abandonada; três botas velhas de couro espetadas em pontas de ferro, uma placa de zinco enferrujada: "Área Militar". Remei por mais de meia hora até avistar o Clube de Fuzileiros Navais. Mais afastada da margem, a Concha Acústica parecia uma baleia branca encalhada no barro. O poente avermelhava a casca da Concha e uma fachada do Brasília Palace Hotel. Só duas cartas da minha mãe. E um telefonema. Deitei no bote, a cabeça apoiada na borda. Voz da minha mãe na Flor do Paraíso: *Esse dinheiro é para você comprar livros e passear... Vou morar num sítio, filho...* Nós dois abraçados no fim do dia, ainda implorei que ela não fosse embora, depois o adeus na rua Tutoia, a noite do Ano-Novo no meu quarto. Um solavanco, o bote oscilou: dois soldados apontavam uma metralhadora para o meu peito. O vento levara o bote até a mureta que cerca o Palácio da Alvorada, um soldado da Guarda Presidencial me revistou, fui conduzido a uma delegacia na Asa Sul.

O policial abriu a porta e me deu um empurrão: "Entra aí, remador".

Um cheiro de suor e barro fermentava no calor da saleta iluminada. Seis estudantes, dois da minha escola: Fabius e o Nortista. Não conhecia os demais; sentei ao lado de um rapaz magro, rosto espinhento, sangue ressequido nos lábios: o mesmo cara que escrevia faixas de protesto com Dinah no barracão do campus.

"Lázaro", disse Fabius. "Ele estuda no Ave Branca, em Taguatinga. Aquele loirinho ali estuda no Elefante Branco."

Os outros dois se apresentaram: eram alunos do Ginásio do Plano Piloto e da Escola Agrícola de Planaltina.

O Nortista perguntou: "Remador? Por quê?".

"Estava remando no Paranoá", eu disse. "Dormi no bote e me pegaram no Alvorada."

Risadas rápidas, e a voz do Nortista: "Que puta azar, remador. O lago atravessa as duas asas do Plano Piloto e o bote foi atracar no palácio do marechal? Teus pais vão acreditar nisso?".

"A gente não pode apagar a luz", alertou Fabius.

Não temia os loucos que fugiam do manicômio de Vila Mariana e perambulavam, perdidos, nas ruas do Paraíso; temia o ruído da chave na fechadura: o ruído forte, metálico, antecipava a visão do rosto tenso do meu pai em muitas noites da infância. Agora todos os temores se juntavam num grande medo. Tirei do bolso o lápis e a folha dobrada, escrevi duas palavras, Lázaro espiou o papel e passou a mão nos lábios feridos. O aluno do Ginásio do Plano Piloto se deitou de lado, o rosto perto da parede. Saleta sem janela, paredes cinzentas, passos atropelados no corredor, nenhum relógio: que horas seriam? Encostei na parede, guardei o lápis e o papel, impossível escrever. O que diria para minha mãe nessa noite? "Cochilei num passeio de bote e fui detido. Não sonhei. O devaneio, o vento, uma baleia de concreto armado, avermelhada pela luz do poente. Por que me distraí?"

Gritos abafados, todos alertas.

"Os universitários", disse o loirinho do Elefante Branco. "Algum líder foi preso."

"O Geólogo?", sussurrou o Nortista.

Lázaro, de joelhos, tocava o solo com as mãos fechadas e mirava a porta.

Lá fora, uma voz forte interrogava alguém.

"Uma mariposa cinzenta", cochichou o Nortista, apontando a parede. "Uma bruxa."

"Bruxa?", disse Fabius. "Tá louco, é bolor na parede. A gente também vai mofar nesse lugar sem janela."

Silêncio no corredor, além do corredor e de todas as portas. Lázaro abriu as mãos e perguntou por Dinah.

"Conseguiu fugir", disse o Nortista. "Foi mais esperta que a gente. Só ela tem asas. Uma borboleta paulista."

"Quem jogou o coquetel molotov no palanque do marechal?", indagou o aluno da Escola Agrícola de Planaltina.

Ninguém respondeu.

"Tocaram fogo no palanque dos milicos", afirmou o loirinho do Elefante Branco. "Mas no dia 31 eles vão comemorar o golpe do mesmo jeito."

Lázaro se deitou: respirava pela boca ferida, os olhos fechados pareciam me ver. Por que perguntara por Dinah?

Alguém abriu a porta, um cara de uns vinte e cinco anos foi empurrado e caiu sentado. Ruivo e barbudo, calça

Lee, camiseta vermelha rasgada no peito; deitou de bruços ao lado de Lázaro e dormiu, ou fingiu dormir. O Nortista mirava o bolor na parede; Fabius, com o indicador no meio da boca, pediu silêncio. Nem um pio. Fechei os olhos, e me acostumei à sombra amarela da lâmpada acesa. Mais tarde, uma voz lá de fora me despertou. Todos pareciam dormir, só Lázaro abria os olhos para me encarar com um olhar duro; o lábio inferior, fendido e esfolado, parecia pendurado. Não escutava mais a voz. Talvez gritos de um sonho?

Um policial me chamou; os outros acordaram, menos o ruivo barbudo; segui o policial até a sala do delegado; o retrato do marechal-presidente era o único objeto na parede branca: bochechas caídas, bigode grisalho aparado, a faixa presidencial cruzando o peito coberto por um traje civil. Examinava o olhar frio na parede quando o delegado me devolveu a carteira de estudante e o relógio. Oito e vinte e cinco.

"Quero ver o papel."

...

"A folha no teu bolso."

O delegado leu duas palavras: "Querida mãe".

"Onde ela mora? O que ela faz?"

"No interior de São Paulo. É professora de francês."

"E você mora com seu pai na Asa Norte. Qual é o endereço, a profissão e nome dele?"

Repeti o que havia dito ao chegar à delegacia.

"Você conhece os dois alunos da tua escola? Fabius Faisão e Lélio Antunes."

"Meus amigos", eu disse.

"E o moreno com jeito de coroinha?"

...

"O agitador do Ave Branca", acrescentou o delegado.

Não conhecia esse estudante. Ouvi outras perguntas, neguei tudo, pensando nos que mofavam na saleta. Quando seriam soltos?

"Onde posso pegar o bote? Meu pai..."

"O bote foi retido pela Guarda Presidencial. Vocês têm sorte, são menores de idade."

Passei pela galeria do Hotel Nacional: Celeste arrumava livros na vitrine da Encontro; Jorge Alegre me reconheceu. Pedi um copo d'água e disse que tinha sido detido por engano: agora ia a pé até a Asa Norte. Jorge Alegre se dirigiu a um rosto sisudo ao lado da caixa registradora: "Jairo, dá para o Martim um copo d'água e o dinheiro do café e do ônibus. Um estudante pode ser preso por engano, mas, depois de ser fichado pela polícia, a vida muda".

Contei ao meu pai o que tinha acontecido no passeio de bote e, sem dar detalhes, falei da noite na delegacia.

"Fiquei até as oito da noite na entrada do Minas Brasília Tênis Clube", disse Rodolfo. "Pensei num acidente no lago, um afogamento... Fui ao Hospital Distrital, esperei horas e voltei ao clube. Passei a noite em claro, vou chegar atrasado na repartição. E agora você me diz que dormiu no bote e foi preso. Perdi a porcaria desse bote, mas isso é o de menos. E se eu perder o emprego por tua causa? Algum colega da tua escola foi preso? Só você? Vou descobrir isso."

Asa Norte, Brasília, madrugada de sábado, 22 de junho, 1968

Olhava um livro aberto, sem conseguir ler. Amanheci vencido pela insônia. Barulho na avenida L2: camburões e viaturas da polícia entravam no campus, soldados cercavam minha escola e o acesso à UnB. Não pude comer no bandejão, nem mesmo sair do apartamento.

Nenhum bilhete ou mensagem do meu pai. Pela primeira vez, ele passou a noite fora de casa. Não sei onde dormiu. No quarto dele, tudo estava arrumado, ao contrário da minha desordem. Sobre a escrivaninha, livros de cálculo em inglês e português, uma régua triangular, um pequeno crucifixo de madeira com um cristo de marfim; numa folha com o timbre da Novacap, datas de visitas a obras e reuniões com arquitetos e com outros engenheiros. Ao folhear um livro de cálculo, vi uma foto em preto e branco cortada ao meio: meus pais na festa do casamento. Quem estaria na outra metade da imagem? Na extremidade recortada aparece apenas um braço coberto por um terno, e os dedos longos e abertos da mão direita. Seria o corpo do tio Dácio, do meu avô, de algum amigo? Minha mãe parecia alegre na noite de núpcias, pelo menos era o que expressavam o rostinho e os lábios da moça virgem, mas o corpo mutilado por uma tesoura dava um ar tétrico à imagem. Percebi uma sombra no chão, como se alguém me vigiasse. Virei o corpo para trás, esperando ver meu pai enquadrado no vão escuro da porta, feito um fantasma. Era minha própria sombra. Enfiei a foto no livro de cálculo e passei o dia estudando.

Meu pai chegou tarde da noite e foi direto para o quarto.

Falou comigo quando voltou da missa no final da manhã deste domingo:

"Ontem mais de mil estudantes foram à assembleia do Parlamento Latino-Americano. Eles e os políticos da oposição dormiram no Congresso Nacional. Querem desmoralizar nosso governo patriótico."

Sexta-feira, 28 de junho, 1968

Duas da tarde: vi pela janela Dinah e Lázaro na entrada do Centro de Ensino Médio. Quando desci, meu pai estacionava a Rural e me chamou: "Brasília vai parar, os funcionários da Novacap e dos ministérios foram dispensados".

Saiu do carro e notou o movimento dos estudantes no outro lado da L2. Dinah e Lázaro já não estavam lá.

"Nesta semana não teve aula na tua escola. Se você for preso mais uma vez, só Deus vai te libertar."

Por que obedecer a esse homem? Por ser ele mais forte do que eu? Por eu temer uma voz grave? Ganhar uma mesada de merda?

Na minha sala, Dinah e Lázaro se dirigiam aos alunos. "Quatro colegas foram expulsos da nossa escola", ela disse. "Na invasão do campus, a polícia prendeu dezenas de universitários e saqueou o barracão da Federação de Estudantes da UnB."

Lázaro acrescentou que no dia 21 a polícia matou três estudantes durante uma manifestação no Rio. "Anteontem, teve uma passeata de cem mil pessoas."

"E o policial assassinado no Rio? Por que vocês não falam da morte dos militares?"

Era a voz de um estudante alto e ereto, de braços cruzados no vão da porta; os olhos salientes e o pescoço apertado pelo colarinho davam ao rosto dele uma impressão de sufoco e loucura; era conhecido por insultar quem o chamava pelo apelido: Manequim. Ao lado dele um bigodudo forte, de uns trinta anos, mirava Lázaro escrever na lousa: "Concentração na praça 21 de abril às 17 horas. Passeata na W3".

Lázaro ficou perto de Dinah, as mãos entrelaçadas apoiavam o queixo ossudo. Olhar frontal, nada acovardado. Me lembrei do interrogatório de março, na delegacia. *O subversivo da Juventude Estudantil Católica conversou com você? Tinha algum trotskista na sala? Alguém falou de bombas incendiárias? Coquetel molotov? Vocês têm sorte, são menores de idade...*

Quando Dinah e Lázaro saíram da sala, o Manequim foi até a lousa e apagou com gestos rápidos as palavras de Lázaro; disse que seria perigoso ir à passeata, os manifestantes provocariam a polícia, haveria confronto e mortes. Falava com voz e pose petulante, e, quando uma aluna gritou: "Todo mundo sabe quem é o teu pai", o Manequim avançou feito um bicho na direção da moça, o bigodudo o agarrou, e os dois foram embora. Eu tinha visto esse Manequim na cantina e nos corredores, mas não sei quem é o pai dele.

Almocei no Palácio da Fome, as aulas foram canceladas, a Biblioteca Central ficou fechada. O Nortista e Vana esperavam o ônibus na L2: iriam à rodoviária e depois à praça Vinte e Um de Abril. O rosto de Rodolfo apareceu na janela do apartamento, corri para alcançar o ônibus, sem olhar para trás. Mas o rosto parecia me seguir durante o trajeto até a rodoviária, onde grupos de estudantes seguravam faixas com nomes de escolas das cidades-satélites. Disse aos dois amigos que queria ficar só, mais tarde me encontraria com eles na W3 ou na rua da Igrejinha. Subi à plataforma, de onde podia ver toda a Esplanada e um trecho do lago Paranoá. Pediria a Rodolfo outro bote de borracha, não dormiria nos passeios, ficaria atento, como fizera na caminhada à Asa Norte na tarde de 29 de março. Recordei o corpo do homem entre o Dauphine branco e a Veraneio, a mão do policial enganchada no pescoço da mulher magra, forçando-a a ver de muito perto o homem contorcer-se, ensanguentado; a outra mão rasgou a blusa azul, os seios pequenos e brancos surgiram na claridade dos faróis, mais intensa que a luz da tarde. O motorista da Veraneio gritou: "Vamos pra base".

O que teria acontecido?

Um ônibus amarelo e verde passou pelo Eixo Monumental, a água do lago escurecia na tarde de junho, eu pensava na coragem dos meus amigos, no rosto de Rodolfo na janela, o rosto voltado para mim, o olhar ofuscado pela distância. O Teatro Nacional é uma pirâmide sem vértice: o volume inacabado parece o maior mausoléu de Brasília, todos os mortos ilustres da capital cabem lá dentro. O sol, agora fraco, ilumina duas faces da pirâmide, viaturas do Exército protegem a Esplanada e o Palácio do Planalto. Imaginava a voz de Dinah no meio da multidão, mas outra voz me chamava, a voz grave que me acovarda.

5.

Rue d'Aligre, Paris, julho, 1978

Um covarde. É o que penso hoje, quase dez anos depois, nesta tarde sufocante de verão, o açougue e a loja de molduras fechados, os feirantes já foram embora, o cheiro de verduras murchas e de cascas de frutas espalhadas na rua se mistura com o bafo do calor.

Um covarde que virou as costas para a manifestação. Lembro que fiz um último esforço de coragem para ir ao encontro de Dinah e dos meus amigos, o destemor deles me animava, e até Vana, medrosa e insegura, estava lá com o Nortista. Ainda dei uns passos na plataforma da rodoviária rumo à W3 Sul, mas a voz de Rodolfo surgia como uma advertência de um grande perigo: "Se você for preso mais uma vez, só Deus vai te libertar".

Atravessei o Eixo Monumental e andei devagar para a Asa Norte, ensaiando o que ia dizer ao meu pai, feito um réu que inventa um álibi para se livrar de um crime.

Rodolfo me esperava ao lado da janela, com o olhar que eu nunca decifraria. Ele se aproximou lentamente.

"Você quer atrapalhar meus planos?"

Eu ia dizer que não participara da passeata na W3, murmurei sons confusos que ninguém escutou, palavras engolidas, travadas no pensamento.

"Agora eu entendo por que tua mãe não quis morar com você. Ninguém quis... tua mãe, tua avó... nem aquele teu tio lambe-lambe."

Minha voz se livrou da covardia e se exaltou, eu não parava de repetir: "Você foi traído por um artista de merda".

Não reagi ao tabefe no rosto.

6.

Campus da UnB, Brasília, 1968

Quando vi uma folha de papel escapar da fogueira de livros na quadra de esportes, pensei num poema sobre essa página de literatura em língua inglesa. Recordei o rosto assustado do embaixador dos Estados Unidos no Auditório Dois Candangos, onde o diplomata comentava a doação de centenas de livros norte-americanos à Biblioteca Central da UnB; falava em português, sem olhar as faixas com protestos contra a Guerra do Vietnã e o acordo MEC-Usaid. Um loiro franzino se aproximou do palco e ergueu um cartaz: "Apoiamos a luta dos operários e estudantes franceses". Na primeira fila, um homem de paletó e gravata se levantou e falou à plateia: "Sou Romero Blanco, professor de antropologia. É um absurdo interromper a palestra do embaixador...".

Um pano com tinta preta atingiu o rosto de Blanco, na confusão caí fora do auditório, corri até a Oca e fiquei no balcão do alojamento. O carro do embaixador deixou o campus, escoltado por batedores, como se estes acompanhassem um féretro. Vi um grupo de estudantes jogar pilhas de livros na quadra de esportes; vi o fogo alastrar-se na colina de papel, escutei estalos de folhas queimadas, uma crepitação de gafanhotos torrados vivos. Dinah discutia com dois estudantes incendiários, o Nortista pegava livros no piso da quadra e colocava-os numa sacola. Saí da Oca e atravessei uma área de barro que terminava na avenida L2. Entrei no quarto para escrever um poema sobre uma página de poesia planando na vastidão do cerrado.

Fiquei pensando, não escrevi o poema. Nada.

Asa Norte, Brasília, 29 de dezembro, 1968

Noite do dia 13: notei no rosto do meu pai um regozijo mudo, só para ele. Não conversamos desde a tarde em que me agrediu; ele deixa bilhetes com uma lista de alimentos e, ao lado do papel dobrado, o dinheiro das compras.

O silêncio entre nós parece obedecer a uma lei.

Numa quinta-feira de agosto, quando o campus da UnB foi invadido e ocupado, professores, alunos e deputados da oposição foram espancados e presos, os laboratórios dos cursos de medicina e biologia, destruídos, os animais na mesa de cirurgia agonizaram até a morte, um estudante de engenharia foi baleado na testa... As incursões da polícia ao campus continuaram até o fim do semestre. Nos dias de fechamento da escola, enquanto lia os livros de poesia e teatro emprestados por Jorge Alegre, uma sombra passava pela sala, perscrutava meu quarto e sumia no corredor.

Só no dia 14 entendi o motivo do júbilo paterno: o Ato Institucional número 5. Nesta última semana de dezembro, Rodolfo empilhou revistas e jornais na mesa da sala e recortou fotografias do rosto de buldogue pelancudo do marechal Costa e Silva; coleciona rostos militares e civis (o ministro da Justiça que redigiu o AI-5, magistrados e políticos bajuladores) e rasga com raiva as fotos de políticos cassados. A mesa da sala ficou coberta de imagens de heróis do meu pai, e o chão repleto de rostos de papel, cortados em tiras finas, como serpentinas de uma festa macabra. Tive uma vaga consciência de que Rodolfo estava enlouquecendo, percebia sintomas de loucura nos gestos e atitudes dele, e me perguntava quem, ou o quê, ele odiava.

7.

Rue d'Aligre, Paris, outono, 1978

Uma carta do Nortista. No envelope: nome e endereço do remetente, falsos. Um desenho com duas figuras abraçadas (o Nortista e Mariela), uma colagem com fotocópias borradas de paisagens paulistanas, uma folha de papel com um poema enigmático, diferente dos que ele, Nortista, publicava em Brasília. Linguagem hermética: poesia parida pelo medo?

Nas frases escritas a lápis, intuí que o Nortista e Mariela permanecem no porão de uma casa da capital paulista:

*

Desisti de viajar para a Europa, Mariela não quer sair do Brasil e eu não quero me separar dela. Ainda estamos acuados no fundo da terra, cavando túneis, abrindo e fechando passagens nessa Construção que não acaba.

Um abraço do amigo
Nortista

8.

Asa Norte, Brasília, terça-feira, 31 de dezembro, 1968

Cartão natalino com frases afetuosas da minha mãe. No verso do envelope o nome dela e o endereço do tio Dácio, escritos com outra caligrafia.

No fim da tarde, minha avó telefonou para desejar Boas-Festas e perguntou se eu estava lendo livros em francês. "Aprendi a falar francês com as minhas amigas do Stella Maris, aqui em Santos. Tua mãe também aprendeu francês nesse colégio."

Ondina fez uma pausa, a voz voltou mais amargurada.

"Delinha e o teu avô não acreditam que eu ouço vozes das religiosas do Stella Maris. Teu tio Dácio e o colégio nasceram no mesmo ano. Eu já era amiga das cônegas de Santo Agostinho e conversava em francês com a saudosa Mère Salvat. Está escutando as trovoadas? O céu vai desabar, a chuva vai inundar Santos e todo o estado de São Paulo, vai varrer o barraco onde tua mãe se escondeu com um desocupado. O que você vai fazer nas férias? Não vai viajar? Teu pai não sai de Brasília? Só reza e trabalha, esse homem. Espera um pouco, teu avô quer falar contigo. Você está me ouvindo?"

Uma voz fraca falou das nossas viagens de bonde da Ponta da Praia à divisa com São Vicente, de um aquário enorme que parecia um pedaço do oceano, da catraia que a gente começava a remar no canal 4, passava com ela por baixo da linha férrea e seguia pelo estuário até o Guarujá.

"Você ficava com medo do túnel de água. Dizia que a maré podia subir de repente e a gente ia se afogar dentro da passagem para o estuário. Mas eu confiava na lua e sabia a direção do vento. Quando a gente remava para o estuário, tua avó ficava rezando, nem parece que cresceu perto do mar. Como você consegue viver numa cidade tão longe do mar?"

Disse ao meu avô que o lago Paranoá era o meu mar de Brasília.

Escutei um riso cansado, um sussurro de saudade, e a ligação caiu.

Fevereiro, Quarta-Feira de Cinzas, 1969

O Plano Piloto se esvaziou na semana do Carnaval. Nessa cidade de forasteiros, as crianças nascidas aqui têm oito ou nove anos, os jovens da minha idade são filhos dos trabalhadores que construíram Brasília; cresceram em Vila Planalto, nas favelas do Núcleo Bandeirante ou nas cidades-satélites.

O barulho da vizinhança cessou, as marchinhas carnavalescas não tocam nos aparelhos de som, e o céu do anoitecer parece uma cúpula de aço. Lembranças da infância me cercam nesta Quarta-Feira de Cinzas, é menos sofrido suportar o luto no silêncio e na solidão, pensar nas férias com os meus avós e minha mãe em Santos quando meu pai ficava trabalhando em São Paulo.

Hoje faz sete dias que tio Dácio me deu a notícia por telefone:

"Tentei avisar tua mãe, mas ela estava em Campinas, e eu não sabia o número do telefone nem o endereço das alunas. Lina não chegou a tempo de ir ao enterro do teu avô. Ela chegou hoje de tarde em Santos e deve estar no chalé de Ondina, telefona pra lá."

"Fizeram as pazes?"

"Não", disse Dácio, "mas ela está bem."

"Minha mãe?"

"Sim, tua mãe. Porque a minha não está nada bem."

Asa Norte, Brasília, maio, 1969

Uma carta e uma fotografia colorida da minha mãe.

*

Filho querido,

Em fevereiro Dácio me surpreendeu com a notícia do falecimento do teu avô. Aliás, do enterro. Eu dava uma aula particular para um grupo de alunas em Campinas, e o teu tio só conseguiu falar comigo na manhã do enterro. É ainda mais triste não ver um pai, mesmo morto, pela última vez.

Quando me lembro dele, penso nos dias que passamos juntos no chalé de Santos. Teu avô gostava muito de ti, de passear contigo, o único neto. Aquela bússola alemã preta e prateada que tanto te fascinava, será tua. A gaiolona de arame no quintal está vazia, minha mãe soltou todos os pássaros, o canto e a visão dos passarinhos lembravam o teu avô.

Sei que você telefonou para Santos no dia do enterro, quando eu ainda estava no litoral. Delinha deve ter explicado por que não pude falar com você naquela tarde, filho. Meu pai tinha sido enterrado no final da manhã. Cheguei às três da tarde e fui ao chalé. Ondina estava no quintal, os pássaros saíam voando da gaiola e ela chorava. Eu a abracei, e choramos juntas. Depois ela disse que eu era uma ingrata, e que meu pai não merecia tanta indiferença. Mas Ondina sabia que Dácio não tinha me encontrado. Ela estava muito triste, e ficou magoada com a minha ausência no enterro. Queria que eu ficasse com ela até a missa de sétimo dia, mas eu só podia ficar pouco tempo em Santos. O que eu ouvi da minha mãe não vale a pena contar, mas antecipou minha volta ao sítio. Não gostaria de ser incompreensiva com você, como minha mãe tem sido comigo.

Guardei fotografias da tua infância no quintal do chalé, nas ruas do Macuco e no porto de Santos, vou escolher duas ou três e enviá-las para você. Por enquanto, envio esta foto, tirada no sítio.

Um beijo muito saudoso da tua mãe.

*

Na fotografia, minha mãe está de pé, ao lado do tronco de uma árvore, parte do corpo sombreada pela folhagem. Reconheci a blusa branca de gola rulê e a calça jeans. O cabelo, que antes caía nos ombros, encurtara. Queria encontrar nos olhos dela o sinal de algum desejo, a força de um sonho. Mas o olhar era meio triste, e o sorriso, sem viço, diferente do sorriso que eu lembrava.

Imaginei que ela estava sofrendo.

Vida miserável.

Escrevi numa carta que o amante dela era a causa do nosso sofrimento; rasguei essa carta, tentei escrever outra, sem acusar o artista. Não consegui.

Por que minha mãe sofre?

Por que eu *penso* que ela sofre?

Asa Norte, Brasília, junho, 1969

Há um mês não abro este caderno: interrompi minhas anotações com uma pergunta: "Por que eu *penso* que ela sofre?".

Ainda não sei responder. Só agora, final de junho, consegui escrever algumas páginas, que começaram com um ato político e terminaram com um beijo de Dinah e uma batalha.

Na véspera das eleições para a diretoria do grêmio estudantil, eu e o Nortista procurávamos Damiano Acante e os nossos amigos. Nos corredores da escola, membros das chapas concorrentes distribuíam panfletos e trocavam acusações. Para escapar ao barulho, entramos numa sala que se abria para o jardim, onde oito estudantes sentados em círculo conversavam em voz baixa. No centro, o líder do grupo abriu um livrinho de capa vermelha e começou a falar sobre a revolução cultural no Brasil. O Nortista me cutucou: "Vamos ficar um pouco. É uma reunião secreta ou clandestina".

"Por que vocês entraram aqui?"

"A gente quer conhecer o programa e as reivindicações da chapa de vocês", mentiu o Nortista.

O líder nos examinou detidamente; os outros, por obediência ou costume, o imitaram.

"O que você gosta de ler?", ele perguntou ao Nortista.

"É um interrogatório? Nunca vi nenhum de vocês na biblioteca da escola nem na Biblioteca Central da UnB."

Ele se irritou com a resposta do Nortista e se dirigiu a mim: "E você?".

"Poesia e peças de teatro", respondi. "Lírica, tragédia e comédia."

"Vocês participam do grupo de Damiano Acante, não é?", ele disse, girando o corpo para olhar os amigos. "Aqui ninguém pode puxar fumo", ameaçou. "E um X9 é punido."

"Um X9?", perguntei.

"Um dedo-duro", afirmou, com a mesma voz de ameaça. "A gente não lê livros alienados nem peças pequeno-burguesas. Nossa leitura é outra."

Quando ele nos mostrou o livrinho de capa vermelha, o Nortista soltou uma risada. Todos ficaram sérios.

"Foi só uma lembrança da infância", justificou o Nortista. "Minha primeira comunhão. Um padre capuchinho lia um catecismo de capa vermelha, parecido com esse livrinho."

Fomos expulsos da sala. Não vimos nossos amigos na cantina; quando passamos pelo pátio interno, eles estavam lá, sentados também em círculo, Damiano Acante no centro. Conversavam sobre as eleições; não participavam de grupos políticos, mas Dinah ia votar na chapa Vanguarda do DF, liderada por trotskistas. A outra, Bom Senso da Capital, era encabeçada pelo Manequim, o boa-pinta do terceiro colegial, filho de um senador de Alagoas. Ele chegava à escola numa caminhonete preta, apelidada Rabecão do Senado. Diziam que era admirado pela mulher do marechal-presidente e desfilava em festas filantrópicas da primeira-dama; andava garboso nos corredores da escola, deixava o topete cair na testa e depois o arrumava com um gesto meticuloso e afetado. Era enturmado com filhos de políticos e de altos funcionários dos ministérios e tribunais. "O pai desse boçal assassinou um político", contou Damiano Acante. "Um pistoleiro de primeira, grande atirador de elite, da nossa elite política. Apontou o revólver pra cabeça de um senador e acertou a barriga de outro. Esse erro livrou o assassino da prisão. Quer dizer, ele ficou só uns cinco meses numa cela especial, muito confortável. O filho dele, o Manequim, é um exemplo de ator farsesco que nunca subiu num palco."

Na campanha das duas chapas, os líderes iam de sala em sala e discursavam contra os opositores, os olhos dos oradores se dilatavam, o indicador retesado acusava reacionários, ou conspiradores comunistas. O Manequim era, de fato, o líder mais teatral: as veias do pescoço inchavam e tremiam feito lombrigas nervosas, dizia que os trotskistas só pensavam em greves, paralisações, passeatas, e a voz vibrante atraía os ouvidos mais frágeis.

Bom Senso da Capital foi derrotada por dois votos, e o pessoal da Vanguarda do DF convidou os estudantes a festejar a vitória na noite de uma sexta-feira. Todos se surpreenderam ao ver o cabeça da Bom Senso solitário no pátio interno da escola; a arrogância desse Manequim perdera força até encontrar refúgio na resignação; foi respeitoso com os membros da Vanguarda, ficou fumando à distância, os olhos de águia no rosto rígido apenas espreitavam a dança dos vitoriosos. Dinah, o Nortista e Fabius bebiam e conversavam sobre a apresentação dos exercícios cênicos em agosto; ela me ofereceu caipirinha, depois me puxou para o centro do pátio e percebeu que eu não sabia dançar.

"Você não ia a festas quando morava em São Paulo?"

Nas festas juninas na Catedral Ortodoxa e nas quermesses em igrejas católicas do Paraíso, eu e minha mãe ficávamos juntos, enfadados, escutando a conversinha de Rodolfo com fiéis e padres; nos aniversários, as irmãs dos meus colegas do Marista, vigiadas pelas mães, bebiam refrigerante e não dançavam. Dinah me conduziu lentamente até o canto mais escuro do pátio, e, quando me beijou na boca, meu corpo teso amoleceu, começou a tremer. Ela riu e foi falar com Lázaro, que acabara de chegar. Os dois bebiam com Fabius e o Nortista, o líder da Bom Senso passou perto de mim e soltou um gracejo; Dinah me chamou, mas não saí do escuro, imaginava dançar com ela, sem ninguém por perto. Pouco antes da meia-noite, um bando de caras mais velhos entrou no pátio e se juntou ao Manequim. Eram oito ou dez, pareciam de porre e provocavam o pessoal da Vanguarda. Fiquei parado entre os dois grupos inimigos, procurava Dinah quando fui empurrado pelo Manequim: "Afasta daí, seu bosta". Alguém disse que ia pedir ajuda aos universitários da Oca, o Nortista veio ao meu encontro e me tirou do pátio. Lá fora, Dinah, Lázaro e Fabius o esperavam numa Kombi.

"Corre pra tua casa, a barra vai pesar", alertou Dinah, com voz calma.

Escutei sons de apito e barulho de vidro quebrado.

Sala escura, o silêncio rondava os quartos, nem sombra do meu pai. A dança com Dinah me impedia de dormir: a dança parada, o corpo abraçado ao meu, o beijo voraz, o riso...

Brasília, agosto, 1969

Dinah viajou com os pais nas férias de julho, todos viajam para suas cidades, menos os forasteiros sem família, ou sem lugar para onde ir.

Meu pai nem sequer mencionou um passeio de fim de semana; ele deixava na soleira da porta um envelope com o dinheiro da mesada, as notas miúdas mal davam para comprar dois livros. Eu almoçava no Palácio da Fome e ia estudar na Biblioteca Central: tardes silenciosas, o alto-falante da Federação dos Estudantes, mudo. Via os universitários da Oca deitados com as namoradas no gramado, os solitários liam à sombra de uma árvore ou olhavam o cerrado. No último dia de férias, passei na Encontro para devolver os livros emprestados e conversar com Jorge Alegre; quando ia deixá-los na mesa, vi a cabeça dele emergir lentamente por trás do balcão: o corpo parecia ter saído de um buraco na parede ou de um alçapão; Jorge me olhou como se eu tivesse desvendado um segredo, mas logo percebeu minha expressão ansiosa, as mãos agarradas aos livros. Quis saber se necessitava de alguma coisa. Com uma voz atrapalhada, eu disse: "Desde o dia em que fui detido, os atritos com o meu pai só crescem". Pedi para trabalhar na Encontro. "Qualquer salário", insisti. Podia trabalhar das cinco da tarde até o fechamento da livraria.

Jorge Alegre se dirigiu ao gerente: "O Martim vai fazer um estágio remunerado a partir de setembro ou outubro. Ele e Celeste devolvem os livros emprestados, mas o amigo do Martim é malandro, nunca devolveu um livro".

"Qual amigo?"

"O Nortista, o Lélio… teu companheiro na noite da delegacia", disse Jorge Alegre. "Ele e a namorada estão ensaiando no auditório."

Vana e o Nortista interromperam o ensaio para falar comigo. Eles tinham viajado para Goiás Velho com Ângela e Fabius, que ainda estavam acampando por lá e voltariam hoje à noite.

"Ângela perguntou por ti", disse Vana, com um risinho malicioso. "Tu ficaste com Dinah em Brasília?"

"Fiquei por aqui. Dinah viajou com os pais."

"Com os pais? Tem certeza? Dinah só vai pra Taguatinga, Gama, Brazlândia... ela e o Lázaro."

O Nortista perguntou se eu queria jantar com eles.

Disse que ia comer em casa, com meu pai. Uma mentira, mais que uma desculpa. Vivemos sob o mesmo teto, mas longe um do outro. Aceitamos isso, talvez por sabermos que já estamos separados, como dois prisioneiros em celas vizinhas.

Domingo, 19 de outubro, 1969

Deixei um bilhete no quarto do meu pai: "Estou trabalhando na Livraria Encontro. Não preciso de mesada".

Dinah, sempre apressada, me dava um adeus eufórico, e o rosto logo sumia. Ela havia esquecido a festa da Vanguarda? A noite da dança, da batalha dos capangas do Manequim com os trotskistas, do primeiro beijo, do gozo escondido num canto escuro do pátio interno da escola.

Na tarde da última sexta-feira, quando fui ver cenas breves dirigidas por Damiano, Dinah reapareceu no pátio lotado de estudantes e professores. Ela e o Nortista atuaram em todos os episódios. Ângela e Vana ficavam nervosas e inseguras quando contracenavam com Dinah. Fabius, desconcentrado e confuso, parecia uma máquina falante: representava sem emoção, sem entender a personagem. No fim, eu disse ao Nortista e a Dinah que tinha gostado da atuação deles; ela aproximou a boca do meu ouvido, senti um sopro morno, mas as palavras se perderam quando Fabius veio por trás, ergueu Dinah e colocou-a sobre os ombros. Lá de cima, ela disse que às oito da noite os atores do grupo de Damiano Acante iam ver um filme na Cinemateca da Escola Parque, depois conversariam sobre uma revista. Eu torcia para que as coxas de Dinah estrangulassem Fabius, cujo rosto inchava, feito o de um afogado; no rosto dela vi uma alegria quase infantil. Ângela observava o namorado com um sorriso estranho, como se Fabius fosse um animal fraco, sufocado pelas coxas fortes de uma cavaleira. Vana o socorreu, puxando Dinah da montaria. Quando apeou, ela insistiu para que eu fosse ao cineclube.

O filme era *Terra em transe*; um dos atores levava o jeito do amante da minha mãe; quando o homem magro aparecia na tela, eu o xingava mentalmente; quando sumia, duvidava se o ator era o amante de Lina; no fim, fiquei pensando no ator e no padrasto, nas imagens do filme perturbador, na loucura das personagens, ou na loucura do Brasil e da América Latina. Damiano leu um texto sobre os filmes de Glauber Rocha: "Da profecia ao impasse". Depois a gente se reuniu no Kazebre 13. Fabius falou do projeto de uma revista de arte e literatura: pediria dinheiro ao pai para comprar o papel, a revista seria impressa na gráfica do *Correio Braziliense*. "Sem artigos políticos", ele acrescentou.

"Nada sobre política?", disse Damiano Acante. "Em que país vocês vivem? Será que nós vimos o mesmo filme na Escola Parque?"

Fabius disse que a política podia estar num sonho, na sombra de um texto, no detalhe de um desenho ou de uma fotografia. Ângela queria publicar sonhos e visões, e Dinah, só de gozação, disse: "Uma revistinha alternativa para os sonhadores do cerrado".

Damiano falou de um sonho antigo: dirigir *Prometeu acorrentado*. Queria que o grupo de artes cênicas lesse o texto, Lázaro faria o papel de Prometeu. Dinah encheu meu copo de cerveja e pôs a mão direita no meu braço: "Por que Martim não participa dos ensaios? A gente arranja um papel secundário para esse tímido".

Senti o gosto amargo do primeiro gole; esvaziei o copo, e a mão direita de Dinah deslizou pelo meu braço. Tive a impressão de que todos riram de mim quando escutei a voz de Damiano: "Vou pensar num papel pro Martim, nosso futuro ator tímido. Talvez ele participe do coro das ninfas".

Mal saiu, Fabius criticou *Terra em transe* e o ensaio de Damiano sobre a obra do cineasta: os filmes de Glauber Rocha eram mais ideológicos que políticos. O Nortista discordou: tinha assistido a uma palestra de Glauber na biblioteca pública de Manaus em 1966, quando ele filmou *Amazonas, Amazonas*.

"Perguntei pro Glauber se os filmes dele eram ideológicos, aí ele repetiu 'ideologia' umas cinco vezes, acendeu um palito e tocou fogo na caixa de fósforos. A gente pensava que era uma brincadeira, ou porra-louquice, aí ele pegou os palitos e a caixa queimada e disse: 'Isto é ideologia, política é outra coisa'."

Fabius e Vana ficaram calados, como se mãos invisíveis tapassem a boca deles; Ângela não tinha entendido, Dinah disse que era uma metáfora; eu ainda pensava no amante de Lina e no ator do filme, as imagens se misturavam com o rosto de Dinah, não tirava os olhos dela, nem mesmo quando bebia cerveja, o copo esvaziado e mais outro, e em pouco tempo a tontura, a visão do garçom segurando a conta, a voz do Fabius perguntando o que eu achava da metáfora do cineasta. Eu disse que não tinha dinheiro. Fabius deu uma risada: "Dinheiro não é metáfora, cara". Ângela mirava contrariada a mão de Dinah, que brincava com a minha, meio bêbada.

Saímos do restaurante, eu e Dinah andávamos devagar, ela ria dos meus passos trôpegos, da minha tontura, os outros se distanciavam. Depois, no apartamento do Fabius, deitamos debaixo de um piano; eu escutava palavras soltas: "tribo", "cosmo", "terra", "fumo", e sentia os lábios de Dinah no meu rosto, a língua no céu da minha boca. Alguém ria, ou todos riam, não sei se do meu modo de agir, eu não sabia fumar o baseado oferecido por Ângela, os lábios grandes e abertos diante de mim, o beijo de Dinah suspenso debaixo do piano, nossa caverna...

9.

Paris, setembro, 1978

As anotações desta página terminam com a palavra "caverna" e reticências. Lembro pouca coisa do que aconteceu depois.

Nos dias frios mas ensolarados, o casal de velhos acorda cedo, ouço os passos arrastados no andar de cima, a mulher abre a janela e os dois resmungam um pouco, depois descem lentamente a escada e saem de mãos dadas para caminhar pela Rue d'Aligre, às vezes seguem até a Charles Baudelaire, sentam num banco do Square Antoine Trousseau e tomam sol matinal, ainda suave neste primeiro dia do outono, quando a Rue d'Aligre se ilumina e a feira fica mais cheia e festiva. No pequeno balcão de um edifício, um gato gordo e preto ondula entre vasos de gerânios e lilases, os olhos ambarinos olham para mim e parecem indagar qualquer coisa, quem sabe o Nortista não tenha lembranças daquela noite no apartamento do Fabius, sem a memória dos outros eu não poderia escrever.

10.

São Paulo, 22 de outubro de 1978.

Querido Martim,

Tua carta com menos de vinte linhas diz pouco sobre tua vida na França.

Paris é o teu estúdio nessa Rue d'Aligre, mais nada? Apenas uns encontros com Damiano, Julião e Anita? Damiano está escrevendo ou dirigindo uma peça? Por que ele não me escreve?

Me perguntaste sobre a noite da *Tribo* no apartamento do embaixador Faisão, pai do nosso tão querido amigo, o inesquecível Fabius. Minha memória fisgou episódios. Cinzas do tempo...

Naquela noite de 1969 (talvez outubro, não lembro o dia), nossa amizade se estreitou. Noite do filme de Glauber e da bebedeira no Kazebre 13, depois a gente foi pra casa do Fabius. A sala, uma zona: caixas de papelão cheias de livros, caixotes de madeira e um piano preto, tudo à espera do embaixador e da embaixatriz. Fabius serviu bebida e pôs um disco de Lou Reed, tirei do sapato um baseado e pensamos num título para a revista. Ângela cantava uma música de Lou e fumava, e, uma hora depois, tu e Dinah entraram na sala e deitaram debaixo do piano preto, coberto por um lençol branco. Estavas enfeitiçado pela moça que havia estudado no Liceu Pasteur em São Paulo, antes de desembarcar com os pais em Brasília, ela logo se enturmou com alguns calouros do Centro de Ensino Médio — eu, Fabius, Vana, Ângela —, convidou Damiano Acante pra dirigir nosso grupo de teatro e pôs todos nós no bolso durante os ensaios da primeira peça, encenada em setembro de 1967.

Ângela contou que sonhara com uma constelação em outra galáxia, por isso o título da revista seria *Cosmo*. Eu tinha sonhado com a minha avó índia e sugeri outro título: *Tribo*. E, de repente, Dinah afastou o lençol da tenda de vocês e disse: "*Tribo*. É menos pretensioso que *Cosmo*". Na votação, *Cosmo* perdeu e Ângela ficou abelhudando a tenda onde tu e Dinah se lambiam, aninhados. Sugeri que a *Tribo* devia publicar poemas, fotos, quadrinhos, artigos e traduções. Uma revista de arte, sem editor nem diretor de redação. Vana receberia os textos, desenhos e fotos, a seleção final seria feita por todos. O logotipo seria uma espiral desenhada num muro da Cidade Livre, onde moram os operários que construíram Brasília; o que mais demorou foi a escolha do lema da *Tribo*: "A nova liberdade jorrando no Planalto".

Fabius e Ângela foram dormir num dos quartos, eu e Vana deitamos no tapete, perto do piano preto à espera de mãos virtuosas e tristes que deixariam a embaixada de um país da Europa pra morar em Brasília, e não mais no Rio. Dinah te levou para o escritório do embaixador, o leito da tua primeira noite de amor.

No fim da manhã, a voz de Ângela-Pitonisa dizia entre risadas: "Martim de porre com a atriz, eu queria ter visto as núpcias do querubim com a diaba. Ele ainda está sonhando com a Dinah, e o café esfriou".

Quando tu apareceste na copa, Ângela disse que Dinah se mandara cedinho pra Taguatinga, onde ia se reunir com Lázaro e os frangotes ginasianos do Ave Branca, atores e atrizes do galpão da Escola Industrial: "o teatrinho político de Dinah". Teu rosto, teu olhar mudou... Lázaro e Dinah, juntos, te enciumaram? Ou era medo do "teatrinho político"? Mas não era teatrinho, e nem era apenas político.

Fabius e Vana falaram do vestibular, eles queriam estudar direito, nós dois íamos prestar exames para o Instituto Central de Artes, e eu sabia que Dinah queria estudar ciências sociais. Ângela não se ligava nesse papo de profissão e futuro, viajava por outras searas, os olhos de ressaca impermeáveis à realidade, lábios entreabertos, os pés apoiados na mesa, coxas nuas; de repente se levantou e disse que ia comprar o jornal *Melody Maker* na banca da 303; Fabius não quis acompanhá-la, e vocês saíram juntos.

Estranho lembrar essas coisas quase dez anos depois, Martim, uma década é uma eternidade e um lampejo. Lembrar, escrever no porão desta casa que tu visitaste uma vez. Daqui a pouco vou ajudar Mariela a selecionar fotos de um jogo de futebol e de um encontro de fiéis, ambos no Pacaembu, estádio lotado. Futebol e religião... As imagens dos fiéis e do bispo, o grão-pastor, são alucinantes. O gramado cheio de óculos e muletas de pobres-diabos que vão ser curados por Jesus. Rostos com expressão dolorosa, feições embasbacadas, olhos marejados... A fé circula de alma em alma, e os desvalidos enchem de notas miúdas sacos plásticos pretos. Mariela fotografou vários rostos e, como ela é sensível demais, ficou deprimida com o discurso do grão-pastor, um homem em transe vociferando versículos e promessas para a multidão, convocando todos os fiéis a derrotar o demônio numa linda tarde de outono no Pacaembu. A maior seita do universo nasceu no Brasil. As fotos e a pregação são deprimentes, mas há também outras palavras, Martim. Palavras do poeta da Fidalga. Mariela lê em voz alta as cartas copiosas que Ox manda de New Haven, comentando o doutorado em Yale, os museus e teatros e livrarias nova-iorquinos. Ox em New Haven, e eu neste velho porto subterrâneo, inseguro, desabrigado...

As detenções e perseguições continuam, mas a gana de encenar é mais forte que o medo. Eu, que nunca procurei a glória, pequena ou grande, tento atuar numa peça, e penso em filmar um documentário; faço qualquer coisa pra sair do subsolo e me atirar na vida. Sem Mariela, sem o amor de Mariela, seria pior. Felicidade a conta-gotas: rosa tão rara neste deserto. Garimpei essa frase das nossas leituras em Brasília: "O amor, mesmo, é a espécie rara de se achar".

Um abraço do Nortista.

11.

Asa Norte, Brasília, novembro, 1969

Deitado no quarto ainda escuro, vi uma linha de luz na soleira da porta e a seta de sombra de um sapato; esperei a primeira palavra do esporro, mas o homem não bateu na porta. A seta de sombra sumiu. Ruído seco de passos. Para onde meu pai caminhava?

Saiu mais cedo para o trabalho, afastei a cortina da sala: os faróis acesos de um ônibus na neblina iluminaram a única árvore na calçada da L2. Peguei cadernos e livros, tomei café na Padaria do Goiano.

Dinah matou as aulas nesta segunda-feira.

Jantei no Palácio da Fome e voltei ao apartamento; Rodolfo trabalhava na sala, não respondeu ao boa-noite. O silêncio dele seria uma reconciliação surda de um embate? Depois, no quarto, pensei nesse silêncio como um desprezo, ou ódio calado; pensei que minha mãe fazia parte desse silêncio e comecei a escrever sobre a solidão.

Senti vergonha, parei de escrever.

Brasília, novembro, 1969

O rosto de boca aberta surgiu no papel fotográfico imerso na solução química; aos poucos, o torso e os braços nus tomaram forma, e o corpo inteiro apareceu num cenário de cordas grossas e cinzentas que formavam uma rede em fundo preto.

Dinah tirou com uma pinça o papel da bandeja, lavou-o e pendurou-o num fio de náilon.

"O melhor ator de Taguatinga, Martim."

A fotografia úmida parecia flutuar na luminosidade infravermelha; Dinah me enlaçou por trás e me puxou para o chão: o corpo dela, nu e avermelhado, me cobriu. Perguntei se ela amava esse ator, perguntei outras coisas, com voz nervosa, tirando a roupa com gestos bruscos; depois senti a língua na pele do peito, nos lábios e nos olhos, abracei e beijei Dinah com desespero, como se fosse perdê-la, pensando: é a primeira noite de verdade e pode ser a última.

Quando acordei, vi o corpo dela escurecido por um estranho crepúsculo e pensei que ainda sonhava.

"São seis e meia, Martim. A gente dormiu no laboratório. Estou atrasada, vou pegar uma carona."

Na entrada do campus, arrancou uma flor do mato e ofereceu-a para mim; tapou com a mão direita meus olhos, disse que fazia muitas coisas ao mesmo tempo, e só conseguia viver assim; senti nos lábios um beijo úmido, recordei o corpo morno e vermelho na luminosidade opaca do laboratório; recordei o prazer como um sonho recente, ainda vi os ombros largos entrando num Fusca e as mãos agitadas acenando; quando respondi ao adeus, a florzinha vermelha caiu no asfalto.

Galeria do Hotel Nacional, Livraria Encontro, Brasília, dezembro, 1969

Fim de tarde: nenhum cliente na Encontro. Eu limpava com um pedaço de flanela a capa dos livros, e Celeste os arrumava nas estantes. O rosto soporoso do gerente nos vigiava; quando ele foi ao banheiro, Celeste contou que num sábado do último verão a Encontro parecia uma livraria num deserto, um lugar vazio no calor seco do meio-dia.

"Eu abanava as pernas com a aba da saia e o Jairo, atrás do balcão, olhava pras minhas coxas. Fingi que estava dormindo, e eu queria mesmo tirar um cochilo. Aí escutei um barulhinho, pensei que era um cliente, não vi ninguém, nem o Jairo. O barulhinho era um grunhido sufocado. Rastejei até o balcão e dei uma espiada: o cara espremia os olhos e se masturbava de cócoras. Mordia a toalhinha imunda e grunhia, parecia um bicho grande no cio. Voltei pro mesmo lugar, e uns dez minutos depois o Jairo me deu um esporro: não ia admitir que uma funcionária dormisse no horário de trabalho."

Bar Beirute, superquadra 109 Sul, Brasília, dezembro, 1969

Dois envelopes sobre a escrivaninha do quarto. Rodolfo ausente pela terceira noite. Li primeiro a cartinha da minha mãe: os parabéns pelo meu aniversário. No outro envelope, cinco notas de dez cruzeiros novos: presente do meu pai. Reli as últimas frases de Lina: "Em fevereiro ou março, alguém vai te dar uma ótima notícia, filho. Eu também estou ansiosa".

O que minha mãe queria dizer?

Na noite seca, apenas o vulto da árvore e as luzes fracas do campus. Por que alguém, e não ela, daria uma ótima notícia? Uma Kombi azul e branca parou na L2 e buzinou. Lá de baixo, Fabius gritou: "Desce, remador. Vamos ao Beirute".

Perto do bambuzal do bar os amigos ocupavam uma mesa. Dinah me deu de aniversário um livro de Sartre e uma fotografia em que ela estava de pé, apoiada numa parede cinzenta e esburacada.

"Essa foto foi tirada no ensaio de uma peça. Você ainda morava em São Paulo, Martim."

Ângela, agachada no bambuzal, fumava um baseado; pediu para ver a foto, acendeu um isqueiro e observou o corpo de Dinah. Saiu do bambuzal e me ofereceu uma flor vermelha.

"Uma foto de um ensaio? Vocês me excluíram da montagem dessa peça. E estão fazendo a mesma coisa na *Tribo*. Fabius e Vana já se reuniram duas vezes e não me avisaram. Alguém foi convidado?"

"A gente conversou com um diretor do *Correio Braziliense*", disse Fabius.

"A revista vai ser impressa na gráfica do jornal", acrescentou Vana. "Você não foi excluída da *Tribo*."

Eu olhava a flor vermelha ao lado da fotografia de Dinah, e pensava nas frases da minha mãe: *... alguém vai te dar uma ótima notícia... Eu também estou ansiosa.*

"Uma flor do cerrado que não murcha", disse Ângela, tocando as pétalas duras. "Tem um odor denso, um cheiro carnal. Ela explode no sol, de tanto brilho."

"Vamos ao cerrado domingo de tarde?", disse Fabius,

irritado com as palavras da namorada. "Quero tirar uma foto para publicar na *Tribo*."

"Qual lugar?", perguntou Vana.

"O Poço Azul", sugeriu o Nortista. "O Martim nunca foi lá."

"A pirâmide do Vale do Amanhecer", disse Ângela, colocando a flor vermelha sobre *Les Mots*, o livro de Sartre. "Uma fotografia da pirâmide na capa da *Tribo*."

"Essa pirâmide é um lugar cheio de malucos", protestou Dinah.

"Malucos? É um lugar místico. Até os políticos visitam o Vale."

"Os políticos mais pirados e perigosos."

"Meu pai é pirado, Dinah?", perguntou Ângela. "Meu pai é perigoso?"

Poço Azul, Brasília, domingo, dezembro, 1969

"Vão pegar a gente", disse Fabius.

Ângela saiu da Kombi e mostrou um documento aos dois policiais rodoviários; Fabius assobiava e batucava no volante, Vana olhou pela janela quando o Nortista apontou uma borboleta que rondava a cabeça de Ângela. O rosto suado seguiu o brilho das asas no sol da tarde e sorriu; depois ela entregou alguma coisa ao policial mais jovem. O outro esperou Ângela entrar na Kombi e fez um sinal positivo para Fabius.

"Por que você deu grana pro policial?"

"Pra não estragar nosso passeio, Dinah. Fabius não tem carteira de motorista. Eles iam revistar a gente e apreender a Kombi. A borboleta nos salvou."

"A borboleta ou o dinheiro?"

"Os oito olhos nas asas pretas e amarelas, Dinah... seis pequenos e dois grandes. Você não acredita nessas coisas. Por que não foi pra Taguatinga? Lázaro vai sentir tua falta."

Dinah apertou minha mão e olhou com indiferença a cabeça de Ângela no banco da frente.

Fabius dirigia devagar na estrada estreita de terra, as margens quase vazias, uma ou outra casinha de madeira; passamos pela Cabana, uma vendinha de frutas, e, meia hora depois, a Kombi dobrou à direita, desceu uma barranqueira e parou a uns quinze metros de um riacho sombreado por uma mata densa. Um fio de água escorria por um lajeado rosado e caía num poço azul, oval; outro poço, redondo como um anel, era mais escuro, azul-turquesa. Os dois poços rodeados por morros. Dinah quis ficar comigo na Kombi; quando os outros desceram o barranco, ela tirou a roupa, e eu comecei a falar de uma casinha no litoral de São Paulo, perto de Itanhaém: por que a gente não ia viver lá? Uma casa de caiçara, coberta de palha, de frente para o mar. Ela tirou a bermuda e a camiseta, deitou no banco, dobrou as pernas e me puxou pelos braços. "Casa de caiçara... uma ideia linda, Martim. A gente vai namorar todos os dias na praia, depois na cabana coberta de palha. Dia e noite a gente vai se chupar e depois comer peixe frito, farinha e banana. E numa noite de temporal alguém se mata de tédio ou morre sufocado. Você vive na ilusão, Martim. O ingênuo do Paraíso. Não é preciso se esconder para amar. Espera, fica quieto..."

A Kombi sacolejou, os dedos molhados acariciaram meu rosto suado. Adormecemos acasalados na quentura da tarde, acordei com a minha voz dizendo: "Ilusão? A gente não pode viver longe de todo mundo? Não pode sonhar com uma vida... um refúgio?".

"Que piração romântica é essa? Itanhaém, uma casinha na praia a mais de mil quilômetros daqui... Isso não é refúgio nem aventura. É deserção, e eu não sou desertora. Ângela toparia viver assim. Ela gosta dessas fantasias. Viu uma borboleta preta e amarela e subornou o policial."

Pegou uma boia de plástico amarela e saiu nua da Kombi; vesti o calção, descemos o barranco e mergulhamos no poço grande. Fabius fotografou Dinah na água azulada; ela mergulhava e depois emergia no buraco da boia, o rosto voltado para a lente da câmera. Quando o sol declinava, os outros apareceram no alto de um morro; Ângela segurava uma flor grande, cor de carne crua, que parecia sangrar. Jogou-a na minha direção e flutuou na água azulada; Dinah pegou a flor estranha, prendeu-a no cabelo e sentou na boia; Fabius subiu o barranco e se encostou na Kombi. O Nortista e Vana davam passos cautelosos, olhos no chão. Vana parou perto do lajeado e, de cócoras, começou a cavar a terra com um pedaço de pau. Ângela abriu a mão direita e mostrou pequenos objetos esbranquiçados, pareciam sementes.

"Encontrei esses pedaços de osso na minha viagem. Ossos triturados. Fui perseguida por animais ferozes no Plano Piloto, mas consegui escapar. Vana já fez uma cova. Alguém quer enterrar os ossos?"

Ângela olhou para a boia amarela: "Martim, você...".

Nadei até a beira do poço e coloquei as sementes na cova. Quando Dinah subia o barranco, Fabius focou a lente no corpo dela e disparou várias vezes; depois fotografou a lua, grande e cinzenta.

Ângela tapou a cova e fez uma pequena pirâmide de terra: ia conversar com a vidente no Vale do Amanhecer, queria saber mais coisas sobre os ossos dessa viagem.

Olhou para mim quando eu entrava na Kombi e se deitou no lajeado.

"Pura porra-louquice da Ângela", disse Dinah. "Essas viagens com alucinógenos. Só pra suportar o pai dela. O pai e a mãe."

"Fabius não parava de olhar para você", eu disse. "Por que ele tirou tantas fotos do teu corpo?"

"Não sei, Martim. Acho que ele gosta do meu corpo... gosta de ver meu corpo."

Os morros, os dois poços e a mata escureciam. Vana e o Nortista voltaram devagar para a Kombi, Fabius pôs a câmera sobre uma pedra e chamou Ângela para dar um mergulho. Na porta da Kombi, Vana olhou para baixo e disse que queria ir embora.

"A gente vai ter que esperar", disse o Nortista. "Fabius e Ângela estão no poço, famintos."

"Famintos? Passaram a tarde juntos. Só agora decidiram transar?"

"Quem tirou aquela foto?", perguntei a Dinah.

"Qual?"

"Do teu corpo. A foto que você me deu de presente. Lázaro ou Fabius?"

"O Nortista. Quando a gente ensaiava uma peça em Taguatinga. *Um bonde chamado desejo.*"

Campus da UnB, janeiro, 1970

"A morte do Costa e Silva deixou meu pai deprimido, Martim. O ambiente em casa ficou fúnebre, minha mãe é amigona da primeira-dama. Meu pai viajou pro Rio e foi ao enterro do marechal. Quando voltou pra Brasília, fez um discurso no Congresso em memória dele. Um obituário tão bajulador, que me deu vergonha."

Disse a Ângela que meu pai coleciona retratos e frases do marechal Costa e Silva. Agora o álbum está inchando com as fotos do general Médici e textos de decretos e atos institucionais.

"Mas o teu pai é um homem comum, Martim. O meu é senador, um líder. Apoiou o Médici quando a porra do Congresso elegeu esse militar pra presidente... um Congresso de merda. Pura farsa... essa eleição indireta foi uma farsa, quase tudo neste país é uma farsa. Você vai viajar nessas férias? Eu e Fabius vamos ficar em Brasília. Os pais dele vão chegar em fevereiro, Fabius está ansioso."

"Eu também estou ansioso para receber uma ótima notícia, Ângela. Não vejo minha mãe desde que cheguei aqui."

"Por que você não foi pra São Paulo?"

"Ela mora com um cara, um pintor. Não sei onde vivem."

Ângela estava encostada no tronco de um pau-ferro, o rosto voltado para o sol forte, os olhos e os lábios abertos brilhavam.

"Mas vocês não se correspondem? Ela não te telefona?"

"Muito pouco."

"Tanto amor em silêncio. Minha mãe fala demais, Martim. A tagarelice, a eloquência do desamor. O que você prefere? Não quer pensar nisso?"

Brasília, março, 1970

"Meus pais chegaram da Europa, mas ainda estão no Rio", disse Fabius. "E sem grana não dá pra imprimir a revista."

"E um mimeógrafo? Jorge Alegre pode emprestar o dinheiro."

"Nenhuma loja vende mimeógrafo sem autorização da polícia", retrucou Fabius. "Meu pai está adiando a viagem a Brasília, acho que não quer sair do Rio. Não foi convidado para a inauguração do Palácio Itamaraty. Solicitou um posto em qualquer embaixada na América do Sul ou na África, mas o ministro não ofereceu nenhum plano de remoção. Vai ter que morar em Brasília mesmo. Ele acha que está sendo punido, mas minha mãe discorda."

Quis saber se o embaixador tinha razão.

"Acho que o embaixador deixou a razão na Europa", disse Fabius.

Asa Norte, Brasília, quinta-feira, 19 de março, 1970

"Sim, depois de amanhã", disse tio Dácio, a voz mais alta que o chiado do interurbano. "Sábado, no meio da tarde, Lina vai te esperar nesse hotel. Fica no centro de Goiânia... avenida Goiás, esquina com a rua Três. Não conta nada pro teu pai, nada. Ele não pode saber."

Não fiz perguntas e memorizei o nome e o endereço do hotel. Quando desliguei o telefone, Rodolfo viu no meu rosto a alegria que não pude disfarçar.

"Quem era?", ele perguntou.

"Minha namorada", menti.

"Namorada? Às seis e meia da manhã?"

A voz quase neutra surtia o efeito de frieza e intimidação, mas essa voz foi derrotada pela minha alegria.

Lago Paranoá, Brasília, sexta-feira, 20 de março, 1970

Saímos da fila do Palácio da Fome, corremos para fora do campus e andamos por uma trilha até a beira do lago. Era um dos nossos encontros, que Dinah marcava na última hora. Não consegui beijá-la, me atrapalhei para tirar a roupa, só pensava no outro encontro, com Lina.

"Parece que você está sufocado", disse Dinah. "Que aconteceu?"

"Minha mãe", eu disse. "Amanhã vou me encontrar com ela em Goiânia. Esperei todo esse tempo. Mais de dois anos."

"Ela também esperou", disse Dinah.

O sol, quase a pino, ofuscava minha visão.

Apartamento do embaixador Faisão, Asa Sul, Brasília, sexta-feira, 20 de março, 1970

"Vários diplomatas foram desligados do Itamaraty, meu jovem. Políticos e tecnocratas ocupam postos importantes na Europa e no mundo todo. Nossa diplomacia foi assaltada por essa gente."

As estantes da sala estavam cheias de livros. Numa das paredes, dois quadros de um pintor que eu desconhecia e um Di Cavalcanti; um espelho retangular na parede oposta refletia uma das telas, que de imediato atraiu meu olhar: o busto de uma moça.

A pintura e sua imagem duplicada vibravam no ambiente, agravado pela voz tensa do embaixador. As pinceladas leves, com tinta diluída, davam uma textura meio difusa ao rosto, que parecia animado pelo desejo. Os lábios ensaiavam um sorriso. O decote sem contornos claros revelava o volume dos seios, e o pescoço alongado tinha a mesma altivez da cabeça, do busto e das mãos. O olhar era de festa: talvez uma noite junina, pois no fundo da pintura um balãozinho subia no escuro, como se fosse escapar da tela sem moldura. Notei alguns traços desse rosto jovem nas feições da embaixatriz, sentada diante de mim, de costas para o espelho. Quem seria o pintor?

"A revista de vocês vai publicar literatura africana?", continuou o embaixador.

Fabius ainda não sabia; e, quando ele disse que eu era um dos poetas e tradutores da *Tribo*, Faisão sorriu com malícia: "É poeta ou rabisca uns versinhos?".

A embaixatriz o encarou, e o sorriso malicioso sumiu do rosto do homem.

"Poeta e tradutor da *Tribo*. Muito bem."

Faisão foi até a banqueta do piano preto e tirou de uma sacola vários livros em francês, inglês e português: "Leia os poemas norte-americanos e franceses. Traduza um ou dois deles para essa *Tribo*".

Não tinha lido a obra desses poetas, nem sequer os conhecia. O embaixador ergueu o queixo para Fabius: "Meu filho já viu esses livros, mas não leu nenhum. Você pode ficar com o romance de Flaubert e com o livro de contos de Luandino Vieira. Depois me devolva os volumes de poesia".

Quando o Nortista apareceu, Fabius nos mostrou uma super-8 que ganhara do pai; já sabia manusear a filmadora e queria escrever o roteiro de um curta-metragem.

Durante o almoço, tomei vinho tinto, o bom vinho dos diplomatas. Uma taça, duas taças, e me lembrei, por contraste, do gole de um horrível Sangue de Boi da última ceia natalina em Santos. O vinho diplomático me dava prazer e me desinibia; me dava também inveja da vida do Fabius: boa comida mineira, um vinho delicado da Côte-d'Or, uma embaixatriz e mãe também delicada, e um pai culto, que falava de Apollinaire (um nome tão sonoro quanto desconhecido), Wallace Stevens (um nome misterioso) e Auden (um nome grave), autores dos livros de poesia que eu deveria devolver à biblioteca da sala. Fabius ganhava uma mesada gorda e saía com Ângela na Kombi para passear, jantar no Augusto's, namorar nas cachoeiras do DF e de Goiás. Agora ele falava sobre o roteiro do curta:

"Na primeira cena, uma panorâmica da praça dos Três Poderes, e na sequência..."

"A praça sob um céu de urubus", interrompeu o Nortista.

"Já conversei com o Lázaro", disse Fabius. "Ele pode ler um poema de Rimbaud no centro da praça dos Três Poderes. A gente grava a voz dele."

"Rimbaud e os três poderes são velhos conhecidos", afirmou Faisão. "Mas quem é Lázaro? E qual Lázaro, o de Lucas ou João?"

"Esse Lázaro me arranjou uma ótima cozinheira", disse a embaixatriz.

"Arranjou? Como?", perguntou Faisão.

"É a mãe dele, dona Vidinha", sussurrou a mulher. "Quando esse rapaz passou por aqui, perguntei se conhecia uma empregada. É muito educado, nem parece que cresceu naquelas bandas do Núcleo Bandeirante."

"Ele é ator e estuda literatura na UnB", disse o Nortista. "Traduziu 'Les Déserts de l'amour'."

"Lázaro me deu uma cópia dessa tradução", disse Fabius. "Ângela adorou o texto."

"Um jovem ator e tradutor de Rimbaud na capital da grande caserna?", disse a voz grave do embaixador. "Então há luz nessa caverna."

O rosto feminino na tela pendurada na parede olhava para mim. O Nortista mastigava, ruidoso e voraz; pediu mais vinho, Faisão abriu outra garrafa e apontou o saca-rolha a Fabius: "Quem é Ângela?".

"Minha namorada, pai. Ela é filha de um senador, um dos líderes da Arena."

"Senador", balbuciou Faisão. "Líder do governo dos milicos. É uma posição muito honrosa e elevada para um político tão baixo!"

A embaixatriz passou o guardanapo no queixo do marido: a gota do tinto não caiu na toalha rendada.

"A mulher de um desses líderes é famosa na capital. Será que essa rameira pariu tua namorada?"

O olhar da embaixatriz o calou. Quando me levantei para ir embora, Fabius disse que eu trabalhava na livraria do Hotel Nacional.

Faisão olhou o Nortista e perguntou: "E você? Também trabalha?".

"Ele é ator e vende doces de uma fruta da Amazônia", riu Fabius.

"Atores, poetas, tradutores, livreiros, vendedores de doces exóticos...", disse Faisão, servindo-se de vinho. "Um Lázaro afrancesado e a filha de um patife do governo com uma puta..."

A embaixatriz saiu bruscamente da mesa, o olhar de Fabius censurava o pai, o Nortista examinava o rótulo da garrafa francesa e murmurava: "Que vinho, que vinho". Eu pensava no beijo da minha mãe, amanhã em Goiânia.

Galeria do Hotel Nacional, Livraria Encontro, Brasília, sexta-feira, 20 de março, 1970

Li os contos de Luandino Vieira, depois usei os dicionários da Encontro para ler poemas de Apollinaire, Wallace Stevens e Auden; passava de um livro para outro, sem saber qual era o mais difícil. Encontrei "Les Déserts de l'amour" num livro de Rimbaud. Como seria a tradução de Lázaro? Pensei em Ângela, "filha de um patife do governo com uma puta". O embaixador conhecia o pai da Ângela. Reli um poema de Apollinaire e memorizei um verso: "Está sempre perto de ti essa imagem que passa...". Imagens passavam pela minha cabeça: a pintura do busto da embaixatriz ainda moça, a pele do rosto enevoada, o sorriso hesitante... Minha mãe teria posado para o amante? Esse pintor teria talento e técnica para expressar sentimento, vida? As mãos dele não deviam ser de artista. Mãos de homicida, como as do ator do filme *Terra em transe*. Ou ele era apenas um pintor de estátuas e cadáveres... Lá fora, sombras do pergolado e uma pequena palmeira retorcida num círculo de grama ensolarado. Tentava recompor o rosto da minha mãe; me lembrava dele aos pedaços, como peças de um quebra-cabeça em lugares e tempos diferentes. Como juntar essas peças e armar o quebra-cabeça? Esse jogo desafiava minha memória quando vi um Opala preto estacionar na passagem que dá acesso à galeria, tapando a visão da palmeira retorcida e do círculo de grama. Um homem de estatura mediana — óculos escuros no rosto sério, camisa cinza de mangas curtas — saiu do banco traseiro e andou na direção da Encontro; uma sombra alongada cruzou as sombras do pergolado, o gerente lia e movia a mandíbula, Celeste folheava um livro com fotos de figuras de Nazca, parecia assombrada por imagens de animais enormes sulcados no deserto sul-americano. Eu observava a forma de uma serpente quando o homem de óculos escuros entrou devagar, deu boa-tarde, parou diante da seção de livros estrangeiros, retirou de uma estante um romance de Albert Camus e se dirigiu ao balcão. O gerente recebeu o dinheiro sem olhar os óculos escuros. A mesma sombra alongada, agora segurando *La Peste*, cruzou a passagem e entrou no Opala preto. A palmeira retorcida reapareceu no círculo verde, o gerente ofegava feito um touro ferido, gotas de suor escorriam do queixo atrofiado e pingavam no balcão; a mão direita amassava cédulas azuis e verdes.

Jorge Alegre chegou em seguida, abriu um rolo de papel e nos mostrou pôsteres de filmes italianos e brasileiros: *Le notti bianche, Ladri di biciclette, O caso dos irmãos Naves, O Bandido da Luz Vermelha, São Paulo S/A*. O gerente enxugava o rosto, a outra mão ainda segurava o dinheiro.

"Por que estão com essa cara? Alguém viu o demônio?"

"Um demônio em carne e osso", disse o gerente. "O general passou por aqui e comprou um livro."

"General? Qual deles, Jairo?"

"O cérebro da caserna. Você sabe."

"É melhor rasgar o dinheiro dele."

Jairo hesitou: o patrão falava sério?

"Rasga logo essa porcaria e lava tuas mãos."

Jairo jogou os pedaços das cédulas na lata de lixo. Penduramos os pôsteres na parede da entrada do auditório, Jorge conferiu a lista dos livros vendidos e fechou a Encontro às nove horas. Antes de ir embora, telefonei para Dinah, uma voz masculina disse: "Minha filha ainda não chegou". Voz antipática! Como será o rosto, o coração do meu futuro sogro? Sei que ele é economista e trabalha num ministério, Dinah fala mais da mãe, funcionária de outro ministério, voz nada antipática, nunca daria uma informação seca, sem pronunciar meu nome.

Nenhum amigo no Kazebre 13 nem no bar Mocambo; perto do Beirute, vi a Rural de Rodolfo estacionada no setor comercial da 109, fiquei uns minutos à espreita no bambuzal do bar, depois sentei de frente para o estacionamento, pedi um quibe e uma cerveja. Lázaro e um amigo apareceram e sentaram à minha mesa; reparei nas estrias vermelhas no pescoço de Lázaro, parecia um ferimento recente. O ator de Taguatinga olhou ao redor, sussurrou: "O bar tá cheio de dedos-duros".

Moveu o indicador da mão direita espalmada na mesa, virei a cabeça na direção do dedo e vi dois caras à nossa esquerda, depois vi os faroletes acesos da Rural de Rodolfo. Uma mulher saiu da passagem do setor comercial e entrou na caminhonete. Minissaia de cetim verde, coxas grossas e brancas. A Rural deu ré, passou em frente ao bar e seguiu para o Eixo Rodoviário.

Como Lázaro sabia que eles eram dedos-duros?

"Aquele barbudo de rabo de cavalo estudou na minha escola. É conhecido no campus. Sábado passado, eu e Dinah vimos esse escroto no bar do Careca."

"Dinah estava em Taguatinga?"

"Depois do ensaio no galpão da Escola Industrial ela dormiu no Morro do Urubu", disse Lázaro. "Minha mãe já tá acostumada. Ela gosta da Dinah."

Lázaro pediu mais uma cerveja e reclamou de Fabius:

"Meu amigo quer publicar poemas na revista, mas o chefe da *Tribo* não aparece. Meia hora de atraso. É assim que o Fabius vai editar uma revista?"

Olhava com insistência o pescoço ferido do amigo de Dinah, o melhor ator de Taguatinga; ele roçou os dedos nos arranhões e deu uma risada ferina: "Brincadeiras do amor, Martim".

Asa Norte, Brasília, sábado, 21 de março, 1970

Acordei com essa risada, o céu ainda escuro.

No sonho, Lázaro se aproximava de Dinah, encostada numa parede cinza, vazada por uma janela de onde eu os espiava. O ator olhava o corpo de Dinah, e, quando me viu na janela, soltou a risada ferina. Não recordei outras imagens, já sonhava acordado com a visão do corpo de Lina no hotel de Goiânia, sonhava com o primeiro abraço desde a despedida na Flor do Paraíso. Toda despedida é triste. E, antes mesmo de ver minha mãe, eu já me entristecia com a despedida futura.

Rodolfo dormiu fora. A minissaia verde de ontem à noite, só pode ser isso. As coxas brancas vão me deixar em paz. Tomei café no apartamento e, para tentar conter minha ânsia, li até o meio-dia a primeira parte do livro *A educação sentimental*, que ganhara de Faisão.

Domingo, 22 de março, 1970

Ontem, na viagem de ônibus a Goiânia, continuei a leitura do romance de Flaubert, interessado na história de amor adúltero do jovem Frédéric e de Mme. Arnoux. Comi um sanduíche na rodoviária da cidade e perguntei a um motorista onde ficava a avenida Goiás, esquina com a rua Três. "Vai a pé nesse sol? É um pouco longe", ele disse, indicando a direção. Passei por um parque que contornava um lago e segui por uma avenida larga até chegar ao Grande Hotel. O recepcionista confirmou a reserva no nome da minha mãe. Tio Dácio dissera que ela ia chegar "no meio da tarde", e essa hora imprecisa aumentou minha ânsia. Sentei numa poltrona do saguão, abri o livro de Flaubert e comecei a ler a passagem em que Frédéric e Mme. Arnoux se encontrariam às três da tarde num apartamento em Paris, o primeiro rendez-vous amoroso, verdadeiro e clandestino. Frédéric sonhava com esse encontro, e eu com minha mãe; eram três horas da tarde no romance de Flaubert e no hotel em Goiânia, Mme. Arnoux e minha mãe não apareciam. Pulava frases do romance, voltava ao início do parágrafo, minha vista turva só enxergava o relógio redondo na parede, o ponteiro preto e fino dos segundos movia-se com lentidão no círculo branco, minha ânsia crescia e retardava os segundos e minutos, melhor esquecer o relógio, fechar o livro e sair do hotel. Andei pela avenida Goiás até dar numa praça, sentei ao lado de um velho com um chapéu de palha, a cabeça voltada para o chão: o que pensava esse solitário na tarde quente de Goiânia? Observei os jogadores de damas e dominó no coreto da praça, um homem moreno e andrajoso dormia na base do Monumento às Três Raças, a pele do rosto dele rachada pelo sol e pela miséria. Tudo parecia inerte no mormaço, como se do grande silêncio da tarde fosse surgir a mulher que eu esperava. Ela surgiu na minha memória, no fim da manhã de um domingo no nosso bairro paulistano.

Nós dois estávamos sentados num banco da praça Santíssimo Sacramento; esperávamos Rodolfo sair da igreja, quando vimos um trânsfuga do manicômio de Vila Mariana. Era Damaso, nosso conhecido. Ele circulara pelas ruas do Paraíso até chegar à Tutoia e cair na praça, onde ficou escondido debaixo de um banco, protegendo-se de bombas imaginárias. Usava uma bata branca encardida, da cor de sua pele, e permaneceu entocado, à espera do toque dos sinos; depois saiu rastejando da trincheira e se ajoelhou: os olhos avermelhados pediam trégua, e os braços se ergueram para o céu. Minha mãe foi falar com ele e, quando voltou para perto de mim, disse que um dia me levaria a Paris. Perguntei se Rodolfo viajaria conosco. "Teu pai só pensa nele, Martim. Só pensa na vida dele. Igreja e trabalho."

Essa lembrança de Lina no Paraíso diminuiu minha ânsia, saí da praça e dei um giro pelo quarteirão: quem sabe ela já não estava no hotel? Depois da longa viagem, talvez estivesse deitada no quarto, à minha espera. Quantas noites dormiria comigo? O fim de semana? Uma ou duas noites? Voltei devagar, e, quando entrei no Grande Hotel, o recepcionista fez um sinal positivo com o polegar; corri até o balcão e perguntei o número do quarto. Ele me entregou a mensagem de um homem que tinha telefonado.

Viajem cancelada tua mãe vai ti escrever. Dacio

12.

Paris, outono, 1978

Só agora, ao reler e datilografar esse bilhete colado na página de um caderno de Brasília, notei os erros na mensagem escrita pelo recepcionista. Naquele sábado de 1970, apenas estranhei o ritmo da frase, veloz como o de um coração disparado.

Lembro que paguei uma diária no Grande Hotel, deitei na cama onde Lina dormiria, avancei na leitura do romance de Flaubert, e parei na cena de um assassinato: uma dupla traição, afetiva e política. Anoitecia. Liguei a cobrar para o meu tio, ninguém atendeu, tentei de novo às dez, quando a morbidez e a angústia escureciam meu pensamento. Ainda bem que Faisão me dera esse livro, a leitura do romance me enfeitiçou naquela noite angustiante, em que deitaria ao lado da minha mãe, de mãos dadas ou abraçados, havia tanto tempo eu não sentia o corpo dela e não escutava sua voz, nosso último encontro na Flor do

Paraíso adquiria outro significado, a distância e o tempo constroem artifícios.

Percebo isso na solidão deste estúdio, no fim da noite parisiense. Mas não tinha essa percepção na noite goiana, quando comparava o desencontro das duas personagens de Flaubert com o meu desencontro com Lina, pois imaginava que a história de uma frustração amorosa tinha uma relação com a minha vida. Já no final do romance, quando Frédéric vê os cabelos brancos de Mme. Arnoux, ele sente alguma coisa inexprimível, uma repulsa, como "o terror de um incesto...".

Será que Lina havia lido *A educação sentimental*? Não vi esse livro na biblioteca da rua Tutoia; *Madame Bovary*, sim: em 1967, minha mãe me mostrara um exemplar editado em 1936, com belas ilustrações de Berthommé de Saint-André. Ela o comprara num sebo de Santos, um ano antes de casar com Rodolfo. Ondina não gostava desse romance "obsceno, com cheiro de luxúria", meu pai o desprezava porque não lia nada de literatura, Flaubert era apenas um nome na lombada de um livro. Lembro que Lina leu para mim trechos desse romance, ela me explicava os tempos verbais, traduzia as palavras que eu desconhecia, e até me deu um caderno com essas anotações: o "Cahier Flaubert/ Bovary". As outras leituras eram contos e poemas, ela me deu livros de Lamartine, Claudel, Merimée, Maupassant, e um guia antigo de Paris, editado em 1913, que me ajudou nas primeiras andanças pela cidade gelada onze anos depois, indo de um bairro a outro nas duas margens do Sena, pregando cartazes em bistrôs, cafés e departamentos de línguas românicas de universidades: "Ensina-se português do Brasil: gramática e conversação".

Lembro que, depois de visitar o museu Carnavalet e andar pelas pracinhas do Marais, um garçom cinquentão do Royal Bar pegou o *Guide pratique de Paris*, admirou a capa cinza-azulada e passou os dedos nas letras vermelhas em baixo relevo. "Foi um presente da minha mãe", eu disse. Não sei se o garçom leu meu pensamento ou recordou a mãe dele, quem sabe morta, que cara triste ele fez.

No quarto do Grande Hotel em Goiânia terminei a leitura, fiz anotações e passei o resto da noite numa quase vigília, à espera da mulher que bateria à porta e dormiria ao meu lado. A crença de que a qualquer momento ela chegaria dificultou meu sono, eu emergia assustado de um cochilo e via o rosto da minha mãe num lugar sombrio do quarto, ou deitada na cama, o corpo quieto e frio como o de uma morta; essas visões, entre o milagre e o sobrenatural, me assustavam e me deixaram prostrado na longa noite da espera.

De manhãzinha escutei uma cantoria preguiçosa: da janela do quarto vi aleijados e cegos à frente de seis homens que carregavam um andor, os romeiros avançavam devagar, vozes femininas cantavam com um timbre agudo, melodioso. Era o princípio de uma romaria no Domingo de Ramos.

Escrevi uma carta a Lina, a única em Goiânia.

Dessa cidade ainda recordo o canto melodioso de mulheres, a leitura de um romance magnífico, um homem caído ao pé de um monumento, um parque perto da rodoviária, um relógio branco, um quarto vazio e uma grande frustração.

13.

Asa Norte, Brasília, abril, 1970

"Você ainda trabalha na Encontro? Não sabe que esse livreiro vermelho é perigoso?"

Livreiro vermelho! O que Rodolfo sabia de Jorge Alegre? Meu pai não anda tão alheio à minha vida. Sem discrição (ou com discrição detetivesca) todos estão atentos à vida de todos. No silêncio da capital, rostos invisíveis vigiam e depois caluniam, acusam, delatam...

Acertei com Jorge um novo horário de trabalho na Encontro e entrei no grupo de teatro de Damiano Acante.

14.

Ouro Preto, 12 de abril de 1970.

Querido filho,

Entendo tua frustração, que não é menor que a minha. Posso até mesmo entender teu desabafo e todas as palavras raivosas da carta que me escreveu no hotel de Goiânia. Mas, se você for compreensivo, e espero que seja, entenderá por que fui impedida de te ver.

Três dias antes de viajar para Goiânia, liguei de Campinas para Santos, Delinha me disse que tua avó estava internada num hospital.

Ondina estava fraca, anêmica, mas foram as palavras que me inquietaram. Ela se enerva com os temporais do litoral; e, como chovia muito, minha mãe falava em dilúvio, inundações, fazia perguntas para os pés dela, confiava nos pés, não na cabeça; se fosse jovem, viveria de pernas para o ar. Não sei se ela inventava essas coisas. Decidi dormir duas noites no hospital, e na tarde daquela sexta-feira levei minha mãe para o chalé. Eu ainda tinha esperança de subir para São Paulo e pegar o ônibus para Goiânia. Infelizmente, não foi possível.

Teu tio não consegue expor nem vender fotografias. Ele pensa em morar nos Estados Unidos, talvez por isso minha mãe tenha adoecido. Ela sempre sentiu uma forte atração por Dácio, diz que não se envergonha de ser uma *mère poule*, e que até hoje agasalha o filho debaixo das asas. Meu irmão nunca foi repreendido por questões morais, então sobrou para mim, e esse é o fardo de ser filha, mulher. Mas não aceito carregar esse fardo, a solidão da minha mãe não será mitigada pela minha presença. A chantagem que ela fez comigo, a loucura teatral naquela sexta-feira, me impediu de viajar.

Daqui a um ou dois anos o filho agasalhado por ela vai viver muito longe daqui, e eu não posso morar em Santos, minha mãe não quer ouvir falar do meu marido nem da minha vida com ele. Mas eu fiz essa escolha, Martim. O curso de uma vida depende de certas decisões. Nem toda decisão é sábia, mas cada ato da vida é uma escolha mais ou menos consciente; às vezes, inconsciente. Conversamos sobre isso na Flor do Paraíso. Não sei se você me ouvia, nós estávamos tomados pela emoção, pela tristeza do adeus, e eu mesma tinha dificuldade para falar, mas era preciso dizer certas coisas e acabei falando muito.

Eu e o teu padrasto estamos em Minas. Ele vendeu uns quadros em Belo Horizonte, depois visitamos Ouro Preto e decidimos ficar por aqui, sabe Deus até quando. Eu lecionava francês para grupos de alunas em Jundiaí, Campinas e Vinhedo, por isso pretendo voltar para o sítio.

Penso em você todos os dias, filho. Ainda não recebi fotografias do teu quarto, do campus da UnB, nem as dos teus amigos, da tua namorada e do professor de teatro.

Naquela sexta-feira, telefonei para dizer que não ia viajar, mas teu pai atendeu e disse sem mais nem menos que você estava trabalhando na livraria de um comunista, como se isso fosse um crime, e eu, a culpada. Falava com ódio, o ódio que eu já conhecia; mas eu pensava que o teu pai, tão longe de mim, e após esse tempo de separação, iria me respeitar.

Por que arranjou um emprego? Rodolfo não te dá uma mesada? Você não mencionou isso em nenhuma carta. E não falou de uma detenção quando passeava de bote no lago. Por que foi detido? Alguém machucou você na delegacia? Teu pai não me respondeu, preferiu me deixar na dúvida. Neste caso, dúvida é sofrimento. Você quis evitar isso, mas agora me diga o que aconteceu.

Fiquei feliz em saber que está estudando arquitetura. Será que Brasília te estimulou a escolher esse curso? Lembro que você gostava de ver as plantas dos edifícios que Rodolfo calculava, ele até te explicava o projeto da estrutura.

Quando a saudade aperta muito, releio tuas cartas. Não sei quantas vezes reli aquela que você escreveu depois de um passeio de bote, o prazer que sentiu remando sozinho, como se estivesse longe de Brasília e bem perto de mim, quase tocando meu rosto. Eu me emocionei quando li a carta pela primeira vez, por isso decidi que ia te ver, apesar das adversidades, que não são poucas.

Rodolfo sabia da minha viagem a Goiânia, falou do nosso encontro no hotel e fez ameaças. Você contou para ele sobre essa viagem? Ele escuta tuas conversas no telefone? Esse homem lê minhas cartas? Me mande notícias sobre tua prisão, e a vida com o teu pai. Sei que Rodolfo gosta de ti, mas tenho medo de que ele te maltrate, só para me fazer sofrer. Preciso saber disso, Martim.

Um beijo saudoso da tua mãe

Lina

*

Meu pai me espiava enquanto eu lia a carta. Uma sombra enorme, a três passos da soleira da porta.

15.

Campus da UnB, Brasília, maio, 1970

No Palácio da Fome, o Nortista fisgou com o garfo uma barata no guisado de frango e jogou a bandeja na parede; os estudantes pararam de comer, bateram com a faca nas bandejas de aço, o barulho cresceu com as vozes de protesto contra a comida imunda. O chefe da segurança do campus mandou fechar o restaurante e intimou o Nortista a comparecer na reitoria. Vana quis acompanhá-lo, mas o Nortista ignorou a intimação e foi ao lançamento do número zero da *Tribo* no Dois Candangos.

O auditório estava cheio, Vana e o Nortista se alternaram na leitura dos poemas de Baudelaire e Oswald de Andrade, depois um calouro do Instituto Central de Artes leu o Manifesto Estético-Elétrico-Filosófico. Quando o Nortista lia a tradução de um capítulo do *Anticristo*, um professor se exaltou:

"Uma blasfêmia! Esse anticristo e uma fotografia imoral dessa revista ultrajam as famílias cristãs."

Rasgou um exemplar da *Tribo*, uma explosão de vaias e aplausos dividiu o auditório e tumultuou o lançamento da revista.

"Eu e Vana prevenimos o Nortista", lamentou Fabius. "O texto de Nietzsche ia enraivecer meio mundo. O Nortista também selecionou a foto do menino segurando um baseado do tamanho de uma corneta. E ainda riu na cara do professor que rasgou a *Tribo*."

"O professor de antropologia?"

"Ele mesmo, Martim. Esse cara é amigo do oficial da Marinha, o vice-reitor."

Poucas revistas foram vendidas.

Taguatinga, Distrito Federal, domingo de maio, 1970

"Pichar muros é mais importante que a poesia da *Tribo*, Martim. Tem coisas graves acontecendo em Brasília e no DF."

Eu ia dizer que as coisas mais graves acontecem no pensamento e na memória, mas preferi deitar no banco traseiro da Kombi e lembrar o corpo suado de Dinah no calor de uma tarde no Poço Azul.

"Não sabe o que o vice-reitor está fazendo com a UnB? Você não precisa pichar nada. Fique deitado aí."

Fabius, Dinah e o Nortista picharam a parede de uma escola, de duas lojas e de uma taberna fechadas. Na saída de Taguatinga, Fabius estacionou a Kombi na beira da estrada, Dinah pegou o tubo de spray e uma escadinha, se aproximou de uma placa do governo federal, fez um xis na frase "Brasil: Ame-o ou Deixe-o" e escreveu da direita para a esquerda a palavra "Educação".

Mais adiante vimos um lótus gigantesco de concreto armado: uma caixa-d'água em construção. Numa área empoeirada, mães com filhos pequenos pechinchavam entre duas fileiras de tendas de plástico que vendiam bacias de latão, carne de sol, frutas e legumes; um homem tentava vender uma cabra num açougue improvisado sob uma tenda de lona, vísceras e pedaços de carne de boi pendiam de ganchos presos a uma travessa de madeira infestada de moscas. A Kombi ladeou a feira e seguiu pelo descampado, Dinah apontou um horizonte de vegetação calcinada, onde se erguiam barracos cobertos de plástico preto e folhas de zinco.

"Ceilândia", ela disse. "As favelas perto do aeroporto horrorizavam a primeira-dama. Muitos moradores das Vilas Operárias e do Núcleo Bandeirante foram transferidos para cá."

Descemos da Kombi e atravessamos uma ponte tosca de madeira sobre um córrego enlodado. Os lotes eram delimitados por pedaços de pau cravados na terra; poucas árvores, uma e outra palmeira no cerrado queimado. Crianças e mulheres carregavam tábuas, homens cavavam a terra para fincar estacas. Recordei os rostos imigrantes fotografados por tio Dácio, mas o que eu via agora não eram imagens num papel: as pessoas estavam ali, carregando caibros, pontas de pau, ripas, pedaços de plástico preto e objetos de uma mudança recente. Porcos, bodes e cabras estavam amarrados em tocos de palmeiras, cachos de galos e galinhas tremiam, as patas atadas por um cordão; árvores e arbustos abatidos eram disputados para juntar lenha ou talhar um banco. Dinah entrou num barraco caiado, o único com cobertura de telhas de barro; beijou uma mulher magra, olhos grandes no fundo do rosto alegre; a mulher abraçou Fabius e o Nortista, e, quando estendeu a mão para mim, reconheci dona Vidinha, a cozinheira do casal Faisão.

"O embaixador pagou um caminhãozinho pra fazer a mudança, os caminhões do governo tavam lotados, um montão de gente nesse cerradão. Lázaro, o padre e os amigos da igreja construíram o barraco. Dinah também ajudou. Pegou o martelo e botou prego na madeira. Agora sou dona de uma casa, nunca mais vou voltar pro Morro do Urubu."

Dona Vidinha nos levou até os fundos e mostrou o banheiro: um cubículo de madeira com uma fossa. Ao lado, um forno de tijolos com uma chapa de latão sob uma cobertura de zinco.

"Vou ganhar um fogão da patroa. Lázaro traz água de uma cacimba e junta pedaços de pau queimado ali mesmo, no cerrado. A gente pega um saco de fubá no posto do governo. Sempre tem fila, um povaréu danado, mas os vizinhos ajudam. Só não tem luz. Chega gente todo dia, gente conhecida, lá do Núcleo, das Vilas Operárias."

Preparou café, serviu bolo de fubá. Lázaro ia dormir na casa do tio, em Vila Planalto. Na salinha um sofá marrom, uma mesa de fórmica azul, uma vitrola, os livros de Lázaro arrumados na pequena estante de madeira.

Dona Vidinha parecia feliz, o filho gostava de teatro e estudava na universidade. "Letras... Curso de letras. Esse menino teve sorte, nasceu pra viver, estudar. Agora só tenho ele. Os outros filhos morreram de lançadeira, lá em Montalvânia. Meu marido morreu do coração, a família dele morre tudo disso aí. Eu vivia sozinha, com a doidura agarrada na goela. Em julho vou de ônibus pra Goiânia e depois vou a pé até Trindade. Quero rezar na Festa do Divino e fazer uma promessa pro meu Lázaro."

"Promessa?"

"Trabalhar um ano todinho sem feriados, Fabius. Queria trabalhar até domingo, mas minha patroa não quer. Tua mãe disse que domingo é dia de missa e descanso."

Dinah ouvia atenta, Fabius mastigava um pedaço de bolo, o Nortista olhava as rachaduras no piso de cimento. Eu observava o rosto da mulher, ainda visível no começo da noite. Ceilândia parecia outra existência na trama do tempo, a abominação da miséria me angustiava, como se a vida na Asa Norte estivesse ameaçada.

"Sou mineira, sou baiana, Dinah. Mineiro do norte de Minas é baiano cansado. Dizem isso. Será? Agora sou também candanga. Meu irmão mais velho é danado, morou em Malacacheta, foi vaqueiro em Teófilo e Governador Valadares, mas queria vida nova. Quase foi pro norte do Paraná, terra boa com fazendas de paulistas. Aí sentiu o cheiro de Brasília e veio antes, com a coragem. Se Deus desse asas pra cobra, ela avoava, mas deu pro meu irmão. Danado que só, esse mano candango. Foi servente, depois pedreiro. Aí estudou pra ser mestre de obra, construiu ministérios e palácios, arranjou casa boa em Vila Planalto. Nunca voltou pra Minas. A gente quer voltar, mas a vida deixa? Esses meninos não falam nada? Tão com medo do escuro?"

O cheiro de lodo penetrava no barraco cheio de moscas. Choro de bebês e crianças, zoada de cacarejos, balidos, grunhidos.

Campus da UnB, junho, 1970

Ângela, sentada no gramado do campus, manuseava uma flauta doce e olhava o pau-ferro desfolhado; dois calouros de cabeça raspada sentaram ao nosso lado.

"Vocês já escolheram um curso na UnB, uma profissão. Não escolhi nada. Nem sei se devo continuar meus estudos. Não sei o que fazer, o que estudar. Fabius só pensa no futuro. Quando digo que estou confusa, ele fala que eu devo procurar uma vocação. Alguém acredita em vocação? Dizem que o espírito de uma pessoa é mais propenso a uma determinada atividade. Neste semestre fui atrás dessa atividade em vários institutos da UnB. Entrava na sala, dizia ao professor que era uma ouvinte e que meu espírito estava procurando uma atividade, e não uma profissão. Você acredita numa profissão ou numa atividade passional? Fabius e Vana vão ser advogados, você e o Nortista estão curtindo o ICA. Dinah vai ser socióloga ou historiadora. Eu ainda estou procurando. Gostei das aulas de música, matemática, física e linguagem estética. Gosto desses quatro professores e converso com eles."

"Por que esses quatro?"

"Porque não entendo quase nada do que eles falam, Martim, mas são os únicos que me entendem."

Livraria Encontro/Rodoviária de Brasília, junho, 1970

Fabius telefonou para a Encontro: o pai dele tinha alugado uma saleta na W3, no andar de cima da loja Super Comfort. O pessoal da *Tribo* podia se reunir lá.

"O embaixador gostou da revista?"

"Gostou dos comics, das fotografias e dos poemas de Álvaro de Campos", disse Fabius. "Ele quis saber quem traduziu o texto de Nietzsche, o capítulo do *Anticristo*. Eu disse que o tradutor era amigo do Nortista, aí meu velho riu pra burro.

Não sei o que deu nele. Ria e dizia: 'Um amigo do vendedor de doces?'. Ainda não comentou teu poema nem a tua tradução. Hoje ele está bem. Aproveita o ostracismo pra ler, pensar e ouvir música. Ele se sente desterrado, diz que não foi banido por um plebiscito e vai resistir. Quer escrever um ensaio sobre potência e ostracismo. Ele acha que o ostracismo aguça o instinto e aumenta a vontade de potência de uma pessoa. Está convencido disso. No meio dessa piração me deu grana para filmar o curta-metragem. Eu ia escrever o roteiro com o Nortista, mas ele discordou das minhas ideias, da sequência das cenas, de tudo. Quebramos o pau. Ele não vai mais participar do filme. Lázaro também caiu fora, não quer ler o poema de Rimbaud. Parece que ele vai participar da próxima reunião da *Tribo*. Ontem liguei um gravador e filmei de perto o rosto do meu pai. Ele enviou uma mensagem aos poetas do mundo, fez uma saudação em várias línguas, até em alemão. A voz dele ficou bacana, as imagens não sei. Vou escrever sozinho o roteiro do curta. Ângela dormiu aqui. Por que você não vem pra cá? Você e Dinah."

Dinah não estava no apartamento dos pais dela; a gente se reuniu duas vezes com Damiano Acante para conversar sobre *Prometeu acorrentado*, mas nessas reuniões ela é mais atriz que namorada.

Ajudei a fechar a livraria e andei até a rodoviária. Poucas estrelas na noite opaca. Lua ausente. Antes de entrar no ônibus para a Asa Norte, senti um toque no braço e vi uma boca desdentada num rosto amassado. A mulher, uma mendiga velha, pigarreou e cuspiu no chão: "Paga um pastelzinho, meu amor".

Da janela observei o corpo coberto por uma túnica branca manchada de barro, o cabelo amarelado e seboso, gengiva escura.

"Um pastel pra virgem da Igrejinha..."

O Teatro Nacional, uma pirâmide sem vértice sob um céu escuro.

Cineclube da Escola Parque, Brasília, junho, 1970

"A saleta da W3 estava cheia, Martim. Calouros e veteranos, novos poetas e artistas da *Tribo*. Dinah e Lázaro escreveram um artigo sobre a história da UnB. Eu tinha lido o texto. Nem sabia que no projeto original de Brasília não tinha uma universidade. O artigo comenta essa falha no capítulo 'Uma capital sem saber?'. Darcy Ribeiro e Anísio Teixeira batalharam pra incluir a UnB no plano urbanístico de Brasília. O artigo analisa as crises da universidade desde o golpe de 64 e a demissão de mais de duzentos professores no ano seguinte. Defendi a publicação do artigo, mas Fabius disse que o texto ocuparia metade da revista. Ele tava com medo, isso sim. Faisão paga a impressão da *Tribo* e o aluguel da saleta, o embaixador não ia censurar a história da UnB. Vana defendeu os argumentos do Fabius, os outros queriam debater e votar, aí Dinah decidiu que não queria mais publicar o artigo. Ângela aproveitou o silêncio e começou a ler o poema 'Pirâmide de luz'. Leu com uma voz que enfeitiça qualquer um. Lázaro disse que o poema da Ângela era uma elegia mística amalucada, todos votaram contra 'Pirâmide de luz', menos eu e uma aluna do Instituto Central de Ciências. Citei uns versos razoáveis: 'Noite e dia de andarilha/ O que eu busco e desejo permanece oculto/ Vivo em silêncio como uma flor do cerrado/ Observo coisas do segredo/ Aprendo com a sabedoria do tempo...'. Mas não adiantou, o poema foi excluído. E, quando Ângela rasgou as folhas, Lázaro disse que ela devia ler grandes poetas brasileiros e estrangeiros. Aí Ângela quis saber se Lázaro tinha lido a obra desses grandes poetas em Ceilândia, no barraco da mãe dele. Lázaro ficou mansinho, mas com olhar de lobo voraz. Fabius sentiu vergonha da namorada. Estalou com força cada dedo e soltou uns palavrões em inglês. Dinah piscou pro Lázaro e fez um sinal com a mão, negando alguma coisa. Aí Lázaro falou que tinha lido poesia brasileira no Ave Branca, e poetas estrangeiros na UnB. E, com aquela voz de coroinha sacana, disse que 'Pirâmide de luz' não ia fazer mal nenhum à *Tribo*. Ele e Dinah saíram abraçados, numa boa."

"Abraçados?"

"Sim", riu o Nortista. "Na maior intimidade, como se fossem direto para o paraíso."

Auditório Dois Candangos, campus da UnB, Brasília, 2 de julho, 1970

Vi essa intimidade ontem, quando Damiano distribuiu o texto de *Prometeu acorrentado* com a indicação do elenco:

Lázaro: Prometeu
Dinah: Oceano, pai das ninfas
Fabius: Poder
Nortista (Lélio): Hefaístos (Hefestos)
Vana: Io
Quatro ninfas do coro: Atrizes de Taguatinga

Antes de começar a leitura do texto, Lázaro e Dinah se isolaram num canto do auditório; falaram sobre a liderança do Geólogo, capaz de mobilizar e convencer os estudantes. Ele surgia de repente num comício-relâmpago no campus, na W3 Sul, numa cidade-satélite, e sumia antes do perigo ou da ameaça. Não dedurou ninguém quando ficou dois meses na cadeia em 68, e no ano passado liderou os protestos de junho. Quando Lázaro e Dinah falavam baixo, com uma cumplicidade dos que festejam segredos, o Geólogo se agigantava na minha imaginação. Pararam de confabular sobre o líder misterioso quando Damiano perguntou a Ângela se ela queria participar do coro de *Prometeu*. Ela negou, e me revelou o motivo da recusa: Lázaro vai ser a personagem mais importante da peça, e ele me humilhou na reunião da *Tribo*. Quando Dinah me indicou para o coro, Ângela riu, com um prazer venenoso.

"Você vai ser a quinta ninfa, Martim", cochichou no meu ouvido. "Só faltava tua voz para afinar o coro de mocinhas. E Dinah, o Oceano, vai ser teu pai. É um papel perfeito para ela."

Ângela não suporta a sabedoria altiva de Dinah. Quando Damiano perguntou se a gente conhecia o significado grego de Prometeu, Dinah disse: "É o que pensa antes de todos. Um visionário. Esse titã apareceu numa obra de Hesíodo, antes da peça de Ésquilo. Prometeu não é um herói, é um rebelde que ofende Zeus".

Damiano concordou: "Um rebelde e anti-herói. Nossa peça vai ser uma história de família, sem deuses celestes. O titã Prometeu, as pessoas e a terra do Distrito Federal. Já enviei o texto à Secretaria de Segurança".

"Não vai ser censurado?"

"Mas eu mantive o mito original, Nortista. O fogo roubado por Prometeu é oferecido à humanidade para compensar nossa fraqueza e tentar salvar os homens da loucura destrutiva de Zeus. Misturei o texto de Ésquilo com trechos da *Teogonia*, do *Protágoras* e de uma peça de um autor brasileiro. Os censores não conhecem a obra de Hesíodo, de Platão nem de Oswald de Andrade. Não sabem o que é uma alegoria. Será que sabem ler?"

"São mais perigosos quando leem sem saber ler", disse Dinah.

"Perigosos de qualquer jeito", afirmou Lázaro.

Brasília, segunda-feira, 3 de agosto, 1970

Nas noites de julho, saía da Encontro e ensaiava com o grupo até meia-noite. Li várias vezes o texto para entender a peça e saber o tempo de entrada dos coristas. Eu era apenas uma voz. Damiano indicava a posição e os movimentos de cada ator em cena, e corrigia a dicção, a entonação, os gestos e a expressão. De tanto ouvir os atores repetindo suas falas, decorei estas frases:

Infeliz, procura uma saída para o teu infortúnio...
Tudo o que se aproxima de mim, me apavora...
Negligenciar as palavras de um pai é um erro grave...

Num sábado, durante um ensaio, Vana desabafou: "Não consigo interpretar Io, essa virgem louca e delirante, uma vaca perseguida pelos deuses". E, quando ela perguntou a Damiano Acante por que Io sofria tanto, o diretor respondeu com voz firme: "Sem sofrimento não se entende a tirania, nem mesmo a própria vida".

Vana temia o sofrimento até no papel de uma personagem? Lembro que depois dos exercícios cênicos ela desafiava o Nortista a dar cambalhotas sem apoiar as mãos no chão; quando ele hesitava ou desistia, Vana dava três passos e saltava, o cabelo longo e preto cobria os olhos pequenos no rosto moreno e redondo; ela caía de pé, o corpo ereto e as coxas rijas em perfeito equilíbrio. Mas, naquela noite, o impulso, a coragem e a técnica de ginasta não a ajudaram. Vana se debatia com Io, parecia acuada pela vaca perseguida pelos deuses. Damiano chamou-a para conversar lá fora, na escuridão do campus; quando voltaram ao auditório, ela interpretou a "virgem louca e delirante". Damiano era exigente com todos, até com Dinah, a quem ele admirava mais que a Lázaro e ao Nortista. Às vezes perdia as estribeiras com os atores, e em dois ou três ensaios foi ríspido com Fabius, até a brutalidade. Humilhado, o filho do embaixador ainda tinha que suportar o sorriso maldoso de Ângela, como se ela assistisse aos ensaios só para oferecer ao namorado essa ofensa silenciosa e cruel.

Teatro do Sesi, Taguatinga, DF, 7 de agosto, 1970

Encenamos *Prometeu* na presença de uma dupla de censores. Quando as lâmpadas foram apagadas, os dois homens, quase invisíveis, davam um ar sinistro à sala. Damiano interferiu várias vezes na atuação de Vana e Fabius, mas sem rispidez, com uma voz quase compassiva, como se os censores na escuridão o inibissem. Depois do ensaio, Damiano mostrou a eles o projeto do cenário e explicou cada detalhe. Lázaro-Prometeu seria acorrentado no telhado de um barraco; pequenas bolas de plástico transparente seriam espalhadas no chão do palco.

"Como são essas bolas?", quis saber um censor.

"Parecem globos oculares de vidro", esclareceu Damiano. "Assim mesmo como está no desenho. Nessa outra folha fiz o esboço da tela que vai ficar no fundo do palco. Uma tela grande, desenhada a carvão e lápis."

"Não entendi esse desenho", disse um dos homens. "É a praça dos Três Poderes? E essas manchas que cercam a praça?"

"Não é uma cópia da realidade", disse Damiano. "O desenho lembra de longe a praça dos Três Poderes. Essas manchas... essas manchas são um efeito estético."

"Onde estão as águias do texto? Ou são abutres, urubus?", disse a voz censora.

"Foram substituídas por sons metálicos... ruídos de serra elétrica, britadeiras e grasnidos."

"Mas como esses ruídos vão devorar o fígado desse Prometeu?"

"Com a imaginação dos espectadores", riu Damiano. "Lázaro é um ótimo ator."

O censor também riu; o outro fotografou os desenhos do cenário, e, quando os dois homens foram embora calados, Dinah e Lázaro se entreolharam, como se ocultassem outra trama.

Auditório Dois Candangos, campus da UnB, Brasília, 22 de agosto, 1970

O texto de *Prometeu* foi liberado com alterações e cortes. A censura excluiu cinquenta e duas frases e substituiu várias palavras: "inferno" por "mundo subterrâneo e abrasivo"; "Brasília" por "Cidade Invernal"; "os Três Poderes" por "as Três Instituições"; "Planalto Central" por "meseta do hemisfério Norte". O barraco de Prometeu teria que ser pintado de branco e decorado com floreiras. A tela desenhada por Damiano foi totalmente vetada: a praça dos Três Poderes, cercada por cidades-satélites no cerrado calcinado, teria que ser substituída por uma paisagem de gelo e neve.

"Esses merdas transformaram o texto numa alegoria de um país nórdico", disse Damiano. "Brasília virou uma cidade fictícia da Escandinávia. Mesmo assim, acho que vale a pena encenar."

"Os censores rasgaram teu texto", disse Lázaro a Damiano. "Vamos encenar um falso *Prometeu,* com um cenário de agência de viagem?"

Damiano quis saber a opinião dos outros.

Fabius e Vana concordaram com o diretor; o Nortista tinha dúvida, mas votou a favor da encenação; Lázaro e Dinah não se manifestaram.

"Não vão votar?"

"Vocês querem trair *Prometeu*?", perguntou Lázaro a Damiano. "Trair o teatro?"

"Se a gente desafiar a censura", disse Damiano, "*Prometeu* não passa da estreia."

"Vamos encenar assim mesmo", disse Dinah, contrariando Lázaro. "Temos tempo pra decorar o texto censurado."

O Nortista e Lázaro se surpreenderam com as palavras de Dinah, e eu também me perguntava por que ela se rendera a Damiano e à censura.

Asa Norte, Brasília, domingo, 13 de setembro, 1970

Dinah não se rendera. Agora sei o que ela e Lázaro haviam tramado em surdina.

Ninguém desconfiava que ontem, na noite da estreia, o diretor do Sesi subiria ao palco para anunciar que seu amigo gaúcho, o general Médici, ia prestigiar a encenação de *Prometeu*.

No camarim, a voz no microfone elogiava o general-presidente. Damiano pediu silêncio, o Nortista foi dar uma olhada na plateia e confirmou: a comitiva presidencial já estava na sala.

"Caímos numa cilada", disse Fabius. "A peça vai ser nossa prisão e o espancamento de todos nós."

"Não é melhor adiar a estreia?", disse a voz medrosa de Vana.

"É melhor não odiar o general durante a encenação", aconselhou Damiano. "O ódio desconcentra o ator. Esqueçam o zeus do Brasil. Pensem que ele é apenas um espectador. Nada de desafios!"

Lázaro sorriu friamente: "Nada de desafios? O que significa isso? Covardia?".

"Covardia é não encenar", disse Damiano. "Agora, *merde!* Vocês não precisam entrar no palco como se estivessem fugindo."

Depois da encenação, Lázaro, Damiano e as atrizes do coro saíram apressados. Na Kombi de Fabius, Dinah disse que tinha se atrapalhado numa das falas de Oceano: "A gente sentiu a presença do general na plateia. Fabius e Vana também estavam nervosos. Só Lázaro e o Nortista foram razoáveis".

"Mas o Médici aplaudiu de pé."

"As fardas da primeira fileira imitaram o general, Fabius", disse Dinah, sentada ao meu lado. "Meses de ensaio para receber aplausos do chefão dos abutres."

"Você e Lázaro ignoraram os cortes da censura e confundiram os outros atores", acusou Vana. "Os censores estavam na plateia e perceberam tudo. A encenação pode ser cancelada. Culpa de vocês."

"Você está me culpando por ter desprezado a censura?", disse Dinah.

"Damiano sabia disso?", perguntou Vana. "Ou você e Lázaro combinaram e ensaiaram escondidos?"

"Pergunte pro Lázaro e pro Damiano", disse Dinah. "Eles estão esperando a gente no bar do Careca."

"O coro também ignorou os cortes."

"As atrizes de Taguatinga, Fabius", disse Ângela, fumando um baseado no banco da frente. "Eu estava ao lado do meu pai, na segunda fileira. Só não ouvi a voz de uma ninfa, o Martim. Alguém ouviu o único filho de Oceano?"

"O remador estava perdido nas águas do Paranoá", disse Fabius. "Ele vai se lembrar do texto quando tomar uma cerveja."

"Não vou com vocês", eu disse.

"E a reunião com Damiano e Lázaro?", perguntou Dinah. "As moças do coro também estão no bar, a gente precisa decidir se vai continuar a encenação."

Eu já tinha decidido. Beijei Dinah, desci da Kombi na praça do Relógio e esperei o ônibus de Taguatinga para o Plano Piloto.

Nos ensaios no Dois Candangos, na Encontro e no meu quarto, conseguira memorizar o texto, mas no palco esquecera quase tudo; fingia falar ou repetia palavras das quatro ninfas do coro: atrizes formadas por Dinah e Lázaro. Invejava a coragem deles. O ônibus velho parou no Núcleo Bandeirante, a lâmpada de uma borracharia piscou na beira da estrada. Lázaro e dona Vidinha tinham saído do Morro do Urubu, mas ainda havia casebres nas Vilas Operárias do Núcleo, escondidos na noite. No Eixo Central o motorista acelerou, os passageiros talvez trabalhem na rodoviária, na vigilância dos blocos da Asa Sul, ou em bares e restaurantes. Minha mãe e o artista andam por Minas Gerais, minha avó não diz coisa com coisa, tio Dácio quer morar nos Estados Unidos. Dinah vai dormir com Lázaro em Ceilândia? Ensaiaram em segredo, usaram na fala o texto original, à revelia de Damiano e dos demais atores. Traíram todos para não trair o teatro?

Duas e cinco da manhã, a luz do quarto do meu pai, acesa; quando dorme fora, tranca a porta e não apaga a luz, assim me deixa na dúvida.

Lembrei mais uma frase do coro:

Zeus impõe rigores com suas próprias leis e mostra, arrogante, sua lança.

Outras frases do coro surgem na memória ferida.

16.

Rue d'Aligre, Paris, outono, 1978

Leio num caderno o que ouvi do Nortista na Oficina Básica de Música da UnB em agosto de 1970:

"*Prometeu* só foi encenada na estreia, Martim. Ângela bagunçou a reunião de Damiano com os atores no bar de Taguatinga. Ela estava enlouquecida de tanto fumo, cerveja e inveja, mas deu o recado do pai dela: nossa peça ia ser proibida. O senador sacou o texto e disse isso pra Ângela no fim da apresentação. Lázaro e Dinah se recusaram a encenar com o texto censurado, Vana e Fabius discutiram com eles. No meio das acusações, Damiano murchou."

Virei várias páginas em branco do caderno até ver os traços a lápis dos rostos de Dinah e Lina. Quando esses desenhos foram feitos? Em outubro de 1970, no Instituto Central de Artes? Na beira do Paranoá, de noitinha? Dinah nunca falou do fracasso de *Prometeu* nem da discussão com Damiano no bar em Taguatinga. Depois dos nossos encontros amorosos, e quase sempre inesperados, ela se dedicava à militância, ao teatro e aos estudos. Na folha branca tentei expressar nos rostos de Lina e Dinah os olhos que se esquivavam de mim. Só retomei as anotações do diário numa noite de novembro, após uma tarde de tumulto, quando o Nortista entrou no ateliê de Desenho de Observação e disse que um professor fora desmascarado e os estudantes protestavam na reitoria.

Saímos do ateliê e vimos o Geólogo, de pé numa mesinha; segurava um megafone e dizia que o professor Romero Blanco tinha sido um falangista durante a Guerra Civil Espanhola.

"Esse falangista bagunçou o lançamento do primeiro número da *Tribo*", disse o Nortista. "Se Fabius não fosse tão covarde, a gente estaria filmando tudo isso."

Dinah e Lázaro estavam juntos, ela olhava a cabeça do orador, Lázaro mirava um lugar bem mais alto, como se estivesse rezando.

"Romero Blanco não é antropólogo nem cientista social", continuou o Geólogo. "Esse charlatão é um dos contatos entre o vice-reitor e a repressão. Enviava ao Dops e ao comando da Polícia Militar do DF listas com nomes de professores, estudantes e funcionários."

"Romero Blanco de merda", disse o Nortista. "Rasgou a *Tribo* e me ameaçou. Fabius queria que eu ficasse caladinho, escutando as ameaças do falangista. Dinah está ali na frente."

Andei devagar ao encontro dela, a voz do orador pedia aos manifestantes que deixassem o dedo-duro sair da reitoria: qualquer provocação seria pior.

O Geólogo pulou para o chão, ficou agachado e desapareceu; quando Lázaro ia subir na mesinha para discursar, seis homens armados saíram de uma sala da reitoria e rodearam um moreno bigodudo, cabelos grisalhos, uma pasta marrom presa ao sovaco esquerdo. Os seguranças o conduziram a um Aero-Willys preto, Romero Blanco reagia às vaias com o braço direito esticado para o alto, um ovo espocou na testa dele, a gosma amarela escorreu em seu rosto; dois seguranças entraram com o falso antropólogo no Aero-Willys, os outros esperaram o carro partir e voltaram ao edifício da reitoria. A primeira bomba de gás caiu perto do corpo de Lázaro, a fumaça me cegou por um instante, consegui tocar as costas de Dinah, mas fui empurrado e caí; quando levantei, os estudantes se dispersavam aos tropeções na fumaceira de outras bombas de gás, não vi Dinah nem o Nortista, corri num ritmo tão veloz que mal sentia as pernas. Não sei quanto tempo corri nem onde estava deitado. Parecia um lugar fora do campus, os edifícios espaçados por uma área de barro com tufos de grama não eram blocos da Asa Norte. Agentes à paisana estavam infiltrados no protesto, ondas de ódio e pavor por toda parte... Dinah e o Nortista tinham escapado? Escutei um assobio e ergui um pouco a cabeça: a figura esguia de Damiano Acante saía de um bloco e se aproximava, o sol ofuscava o rosto dele, os passos curtos se desviaram dos tufos de grama e pararam perto de mim, sombreando minha cabeça. Quando ficou de cócoras, parou de assobiar. Perguntei que lugar era esse.

"Colina, morada dos professores", disse Damiano Acante. "Não é o melhor refúgio para um anti-herói. Vamos subir, teu rosto está sangrando."

17.

Asa Norte, Brasília, dezembro, 1970

Batidas fortes na porta do quarto. Rodolfo me esperava ao lado da janela descortinada. Roupão branco, camisa branca de mangas compridas, uma gravata marrom com estampa de argolas amarelas enrolada no pescoço.

"No próximo ano vou me mudar para a Asa Sul. Morar na Asa Norte só é mais cômodo para você. Essas noites que dormi fora..."

Fez uma pausa, sondando alguma coisa em mim, mas não me encarou. Me examinava sem o olhar, só com o faro, feito um cão de caça, ou um animal violento, um animal que cerca sua presa. Estávamos lado a lado mas a distância entre nós crescia, como dois inimigos perto do vão da janela.

A neblina vedava o amanhecer.

"Você quer me desafiar, mas o desafio é um erro. Teu curso nesse Instituto Central de Artes... Como você tem tempo para estudar e vender livros? Agora posso te dar uma mesada melhor, mas você deve sair da livraria. O trabalho, o salário, eu entendo. Estudava e trabalhava, mas não conheci meus pais. Morava com um tio numa casinha no Jabaquara, comecei a trabalhar com ele, das cinco às dez da manhã. Meu tio saía de bicicleta, eu ia na garupa. A gente passava na padaria Cruzeiro e ia vender pão francês e pão doce na Vila Mariana, no Jabaquara, no Paraíso. Eu estudava de tarde. Contei isso para você e tua mãe. Tua mãe encontrou a vida pronta, só trabalhou depois de casada. Trabalhou para me desafiar, como você está fazendo agora. O trabalho não é o verdadeiro problema. O livreiro é que não é confiável."

A voz de Rodolfo, calma demais. Está feliz com a mulher daquela noite? Talvez vá morar com ela e queira se livrar de mim, dos buracos cheios de ratos e baratas no térreo sombrio, dos protestos no campus, das repúblicas de estudantes na vizinhança, "covis de maconheiros e travestis", como ele dizia. Às vezes saíam quase nus, rosto maquiado, lábios pintados de roxo ou carmim, os seios das moças salpicados de estrelinhas prateadas. Outras vezes saíam bem-vestidos do bloco B e agrediam com chutes um mendigo deitado sob a imensa gameleira na calçada. Rodolfo ignorava que eram alunos do curso de cinema e encenavam curtas-metragens. Detestava toda a vizinhança; e certa vez, numa tarde de sábado, quando três homens de chapéu e botas de vaqueiro trotavam em plena L2, Rodolfo riu com escárnio e perguntou: "Isto é uma fazenda ou a capital de um país?".

Não é para ele a Asa Norte, nem esse bloco de acabamento tosco, sem cor, no meio do barro e da tristeza.

"Gosto do meu trabalho, ganhei vários livros do dono..."

"Está bem", ele me interrompeu, a voz ainda calma, e mais grave.

Tirou as mãos dos bolsos do roupão, desenrolou a gravata e fez um nó apertado, estufando o pescoço: "Mas não vou admitir que você complique minha vida. Só isso".

Apontou o jornal na mesa: "Não bastou uma detenção? Não se envergonha de sair na primeira página? Você, no meio dos vândalos, invadindo a reitoria".

Uma fotografia do protesto contra Romero Blanco. Eu tocava as costas de Dinah e alguém, talvez Lázaro, me empurrava. A fumaça de uma bomba de gás borrava a imagem dos corpos, mas meu pai me reconheceu.

O olhar dele permanecia fixo na imagem. Por que só hoje me mostrou o jornal e falou dessa foto? O que faz com os olhos? Cego, só para mim?

18.

Paris, outono, 1978

Num dos cadernos de 1971 há poucas frases, poemas em farrapos, inacabados: a escrita refém da depressão que me paralisou. Nas idas e voltas entre o meu quarto e o campus foram raros os encontros com Dinah, que tentava me reconduzir para a vida, mas a vida se esvaziava com o silêncio de Lina, eu me inquietava com o ódio de Rodolfo a Jorge Alegre e à UnB, e com o desprezo a Dinah e aos meus amigos, a quem meu pai nem sequer conhecia. O ódio ou desprezo a pessoas que faziam parte da minha vida me levava a pensar que ele desejava injuriar o próprio filho.

Mas nesta noite de outono, depois de ler as poucas palavras no caderno de 1971, não sei nomear o sentimento de Rodolfo em relação a mim. O que podia ser? Meu pai me cercava e intimidava com um silêncio bruto, que me emparedava. Lembro que ele não falava quando iria embora da "maldita Asa Norte, essa espelunca seca e deserta";

mas em alguns momentos deixava pistas de sua partida para a sonhada Asa Sul. A mudança de casa, mais que uma separação, seria a primeira ruptura. Ele trancava o quarto antes de sair para o trabalho, já não me deixava bilhetes, nenhuma palavra escrita ou falada, e eu mal percebia quando ele pernoitava em casa. Talvez não fosse desprezo. Seria indiferença? Mesmo se fosse, eu não sabia como reagir ou responder à apatia paterna nem à minha própria apatia diante da vida, ou ao afeto de Dinah e às perguntas do Nortista.

Nas férias de julho de 71, Dinah viajou com sua mãe para São Paulo; o Nortista, Vana, Fabius e Ângela também saíram de Brasília; eu trabalhava na Encontro e passava os domingos na beira do lago, a maior parte do tempo lendo e pensando, mas era impossível escrever, minhas mãos pareciam atadas ou algemadas. Imaginava cartas escritas pela minha mãe, uma pilha de cartas que caberiam num livro grosso, eu mesmo ditava mentalmente as palavras, um monólogo absurdo que me fazia rir, antes de ser tomado pela angústia. No último domingo do mês, enquanto sonhava com uma carta imaginária em que Lina marcava um novo encontro em Goiânia, vi o rosto dela emergir das águas do Paranoá e tapar a outra margem e o cerrado. De repente esse rosto se contraiu, asfixiado, até se dissolver na noite. E, pela primeira vez, uma vaga lembrança da infância me deixou confuso na beira do lago quieto: vozes e gritos que vinham de um quarto trancado, no apartamento paulistano do Paraíso.

Nesse domingo de julho, de volta à Asa Norte, notei a ausência do tapete da sala. Aos poucos, mês a mês, os objetos do apartamento iam sumindo à minha revelia, como se a mudança de Rodolfo para a Asa Sul fosse uma extensão do vazio que crescia em mim. Entre agosto e outubro, a mesa de cedro e as cadeiras da sala sumiram, e uma noite de novembro, quando a voz de Rodolfo pronunciou meu nome, eu o vi no centro do quarto vazio. Desta vez olhou para mim, e neste olhar não havia desprezo nem indiferença nem ofensa, e sim uma autoconfiança que parecia triunfo.

Na semana seguinte ele ia levar o fogão, a geladeira e a louça. "Você pode ficar com o abajur da sala e com as coisas do teu quarto. Vamos desocupar o apartamento antes do Natal."

Era a mesma voz calma, sem inflexão alguma. Inútil buscar sentimento num tom de voz tão neutro, num olhar tão distante...

Na manhã seguinte, no Instituto Central de Artes, eu contei ao Nortista e a Vana que ia procurar um quarto na Oca. "Não tem vaga no alojamento", disse o Nortista. "Tu podes dormir no meu quarto. A casa fica na W3 Sul, perto do Cine Cultura, da Escola Parque e do apartamento da Baronesa."

"É o apelido da minha tia Áurea", disse Vana. "Ela e o Nortista vendem doces de uma fruta da Amazônia. São sócios da empresa Áurea Verde, Ervas e Sonhos."

19.

Despedida da Asa Norte, 22 de dezembro, 1971

Recordei as noites paulistanas em que meu pai, com paciência, me ensinara álgebra e geometria. Uma vez — a última lição — me distraí e cometi um erro no cálculo de uma equação complicada. As mãos de Rodolfo estalaram na mesa, e um rugido ecoou no meu quarto da Tutoia. Esse erro ou distração foi em novembro de 1967, poucos dias depois do feriado de Quinze de Novembro, quando meus pais se estranharam na praia de Itanhaém, e a vida na Tutoia tomou um rumo estranho e sinistro.

Anos antes, na minha infância, Rodolfo me levara ao laguinho e ao bosque atrás do Círculo Militar, aos parques do Ibirapuera e da Água Branca, e a pescarias num braço do Tietê em Guarulhos. Via meu pai no bosque, no rio, nos parques, mas, quando sentia a mão de Lina, Rodolfo sumia desses lugares e do tempo.

Nesta manhã de domingo, não sabíamos o que dizer um ao outro: nenhum gesto afetivo, e a troca de olhares foi tão breve que as lembranças ficaram guardadas. Trocamos endereços e números de telefone, Rodolfo perguntou com quem eu ia morar.

"Com o Lélio, o Nortista."

"O cabeludo com olhar de dopado? É com esse sujeito que você vai morar?"

Ele conhecia o Nortista? Onde o tinha visto? Talvez num ponto de ônibus da L2. É possível conhecer um olhar de longe? O olhar de um "dopado"? Lina, por temer Rodolfo, não queria viajar para Brasília. O que esse homem esconde de mim? Pensava em tramas perigosas, em que minha mãe seria uma fugitiva; temia sonhar com ela estrangulada por uma gravata marrom com argolas amarelas.

Vila Planalto, Brasília, janeiro, 1972

Fizemos uma longa caminhada do campus à Vila Planalto, onde Dinah ia visitar uns parentes de Lázaro. Na calçada de uma casa perto da igreja, Lázaro saiu de uma roda de pessoas humildes e bem-vestidas e abraçou Dinah.

"Minha mãe me deu o recado", ela disse.

Era o velório do tio de Lázaro.

"Meu tio foi um dos primeiros candangos. Conheceu Juscelino Kubitschek e ganhou medalha de operário pioneiro."

Na sala, os vizinhos contavam histórias sobre a construção de Brasília, um retrato do ex-presidente cobria o peito do defunto: o rosto sorridente de JK, os olhos fechados do operário mineiro, iluminados por velas brancas em cada canto do caixão. A mãe de Lázaro segurava um terço de contas pretas e rezava baixinho.

Perto do caixão, a viúva conversava calmamente com o morto; dizia que ele tinha sido amante de duas irmãs, vizinhas na Vila Planalto.

Casa na W3 Sul, quadra 711, Brasília, janeiro, 1972

No quarto do Nortista mal couberam o colchão, a escrivaninha e o abajur; ao lado da janela, fotos de Vana no Poço Azul, e em encenações que desconheço. Quatro tábuas apoiadas em tijolos estavam repletas de livros.

"Minha biblioteca, Martim. Cada estante tem uma história. Os livros dessa estante de baixo foram salvos da fogueira. Dois estudantes queriam queimar todos os livros doados pelo embaixador dos Estados Unidos. O líder desse grupo é um magricela do curso de arquitetura, aquele lourinho que estudou no Elefante Branco e passou a noite com a gente na delegacia. O cara queria tocar fogo em tudo. Tirei uns livros da fogueira, ganhei uma eterna inimizade com esse grupo incendiário. Mas ganhei também peças de Tennessee Williams, a poesia de Walt Whitman, romances e contos de Faulkner. Todos chamuscados, mas dá pra ler. Os livros da estante de cima foram comprados na Livraria Civilização Brasileira. Jorge Alegre me emprestou os outros, não devolvi nenhum. É um acordo tácito entre leitores sem grana e um livreiro humanista. Lázaro também faz isso, mas os outros amigos têm que devolver os livros emprestados. Ângela tentou afanar um livro de poesia de Jorge de Lima e levou uma bronca. Jorge Alegre sabe que o papai dela é senador, e dos mais escrotos."

Dinho e Graça, os donos da casa, são baianos. Viveram catorze anos em São Paulo, e em 1964 se mudaram com os dois filhos para a capital. Dinho é mestre de obras no Plano Piloto e nas cidades-satélites; se Brasília parar de crescer, a família vai voltar para São Paulo; Graça faz as mãos e os pés de mulheres de políticos, recebe gorjetas polpudas e ganha roupa de clientes que engordaram. Proíbem a visita demorada de namoradas, mas o aluguel do quarto é barato, e, quando o Nortista atrasa o pagamento, não é ameaçado de despejo. Ele ensina matemática e português ao filho mais velho do casal, aluno do Elefante Branco. O marmanjo não estuda para as provas do vestibular, ele e os amigos vão ao Cine Espacial no shopping e acampam perto das cachoeiras. Dinho diz ao filho: "Se continuar assim, vai ser peão de obra ou vadio".

A mãe conta as conversas com as mulheres dos políticos, duas têm amantes, uma delas talvez seja a mãe de Ângela. Eu e o Nortista não conhecemos essa mãe.

20.

Paris, inverno, 1978

Quando a polícia não invadia o campus, tudo parecia quieto na Asa Norte; no meu quarto escrevi dezenas de cartas para minha mãe e fiz anotações em cadernos, numerados de um a sete.

Nesta segunda noite do inverno, encontrei um guardanapo de papel fino com estas palavras: "Amargura tem suas artimanhas: é esperta e sinuosa…".

Dinah, raramente amarga, escreveu isso depois de eu lhe dizer que a amargura me paralisava e assombrava: minha mãe andava por Minas, sem me dar notícias.

Não há data no guardanapo branco, nem me lembro onde Dinah escreveu essas frases, talvez num dos botecos de Brasília: o New York, o Mocambo, o Elite… Ou no meu quarto, em algum dia de fevereiro de 1972, quando a família baiana passava férias em Salvador e o Nortista estava entre São Paulo e Rio. Fiquei sozinho na casa da W3 Sul e tirei uma semana de férias na Encontro.

Dinah fez uma pausa na militância e nos ensaios de teatro, passávamos o dia e a noite entre o quarto, a cozinha, os cines Cultura e Brasília e o Cineclube da Escola Parque. Tarde da noite, quando a gente voltava de um boteco, ela ria das minhas presepadas eróticas, e perguntava o que queria provar com tanto contorcionismo.

Lembro que na manhã do sábado Dinah separou os colchões, trocou os lençóis, arrumou os livros do Nortista na estante e disse que a gente ia almoçar com os pais dela; depois ela se reuniria com estudantes e professores do Centro de Ensino Médio. "A escola está ameaçada, Martim. Foi fechada no ano passado e corre o risco de nunca mais reabrir."

21.

Apartamento dos pais da Dinah, superquadra 105 Sul, bloco C, Brasília, sábado/domingo, fevereiro, 1972

Da boca pra cima, o rosto do pai de Dinah impressiona: olhos encovados, sobrancelhas peludas, com dois fios longos e encurvados, feito antenas de barata; o nariz rombudo e arroxeado lembra uma berinjela-anã. A beleza e o porte da mãe tinham migrado para o rosto e o corpo de Dinah. Eu conhecia a voz do casal por telefone; ao vivo, a do economista é mais fanhosa que antipática. Citou números de crescimento econômico: "O Brasil, apesar do governo bruto, está prosperando", sentenciou com voz de autoridade. "Dinah é ingênua ou imatura, os jovens não entendem, não entendem…"

"Duvido", disse a mulher. "Os jovens entendem muita coisa, eles pensam e agem de outra maneira. Nós é que mofamos nos ministérios e vemos o Brasil por uma única janela."

Parecia a voz de Dinah. Era como se eu visse minha namorada no ano 2000, o rosto com muitas rugas e dúvidas, pernas de senhora, olhar sem ânsia nem ilusões.

Mal terminamos de almoçar, Dinah disse que ia a uma reunião no Centro de Ensino Médio.

"Conversei com o chefe de gabinete do ministro da Educação", disse o economista. "Esse ministro é severo, mas muito prático e eficiente."

"Não é só severo", disse a mulher. "A visão dele é estreita demais. Usa viseira de cavalo para lidar com a educação pública. Infelizmente a escola onde vocês estudaram acabou."

Ela citou ministros com boa formação profissional, eles pensavam no país e podiam trabalhar num governo democrático, mas esse coronel da Educação via o mundo de um ângulo militar, como se fosse um estrategista da Guerra Fria.

"Por isso muita gente do governo tem medo dele", observou o economista.

"Parece que o medo governa todo mundo... e governa com uma terrível eficiência."

"Um dia você pode depender dele, filha."

"Do medo?"

"Não, do ministro, Dinah. Dizem que o coronel da Educação é um protegido do general Médici."

Dinah e sua mãe trocaram um olhar indagador, demorado; me lembrou o de Lina, quando ela me sentia ameaçado por Rodolfo. Elas se defendiam das palavras do economista com esse olhar cúmplice, um pacto entre mãe e filha diante de um homem que não se envergonhava de elogiar um dos ministros militares mais detestados na UnB.

"Depois da reunião na escola vou passar na casa da W3 para jantar contigo", disse Dinah.

A mãe dela pediu licença e se retirou, fiquei na sala com o meu futuro sogro, que falou sobre a agricultura brasileira, "nossas exportações fabulosas de cítricos e grãos". A voz fanhosa era suportável, mas a ladainha, sentenciosa e ufanista, servia para ninar monstros patriotas. Minha saída foi observar o narigão roxo e imaginar nessa tromba atrofiada uma espécie de consciência sem remorsos. Entre o tédio e o riso, perguntei se o Brasil exportava berinjelas.

"Não é o nosso forte", ele disse com uma pose solene e um pouco ridícula, o olhar vesgo na ponta do nariz colossal. "Além disso, berinjelas não robustecem a economia de um país."

Quando ele ia pegar um relatório do ministério, eu disse que precisava estudar e escapuli.

E era verdade: a fotocópia da edição italiana do livro de Argan me esperava, eu tinha que ler quatro capítulos da *Arte moderna* e ainda estudar para a prova de geometria descritiva aplicada. Fiz isso até as onze da noite, quando comecei a anotar no caderno o primeiro encontro com os meus futuros sogros. Pensei no pai de Dinah, uma cabeça metade pragmática, metade ufanista; pensei no pai de Fabius, o embaixador que perdia a cabeça. Como seria o pai de Ângela? E o do Nortista, em Manaus? Nesse desfile de pais, a voz de Rodolfo dizia que este quarto era uma pocilga, que a minha namorada, os meus amigos e o dono da Livraria Encontro eram péssimos elementos, e que a minha vida estava se perdendo.

Faminto, deitei no colchão, à espera de Dinah, que só apareceu na madrugada deste domingo.

Superquadra 308 Sul, Brasília, março, 1972

Áurea, a Baronesa, conhece políticos do governo e da oposição, e se dá com comandantes de regiões militares do Planalto e da Amazônia. Alta, cabelo loiro perfeitamente falso, espáduas largas, de lutadora; os lábios finos e longos dividem um rosto alerta.

Às vezes o Nortista fila boia na casa da tia da Vana; na última aula da tarde, ele me diz: "Hoje de noite vou encher o bucho com a comida da Baronesa".

Leva os livros para lá, janta, dorme com Vana, e eu só volto a vê-lo na manhã seguinte, no campus.

"Tu podes abrir uma lata e jantar, Martim."

Esses enlatados norte-americanos de capellini com suco de tomate, a Baronesa recebe de Manaus e distribui ao Nortista e a outros estudantes da Amazônia. Quando eu chego faminto da Encontro, ponho uma lata em banho-maria e despejo o macarrão com molho no prato. O casal baiano tem nojo da massa empapada, vermelha. Quando como sozinho, às vezes Graça sente pena de mim e me convida para jantar. Isso, de dar pena ao nosso senhorio, eu aprendi com o Nortista:

"O casal é econômico e poupa até a alma, mas é generoso no rango. Se tu fizeres cara de sofredor, eles te convidam pra jantar. Ou então basta dizer que estás passando mal de tanto comer massa enlatada. Inventa um monte de dores... cólicas de acidez, prisão de ventre, o escambau. Depois pede pra Graça uma colherada de leite de magnésia. O efeito é o mesmo. Sentir pena e sentir culpa, Martim... A gente pode se livrar de um desses sentimentos, mas dos dois, só mesmo um monstro, ou um gênio da filosofia."

Era batata: o Nortista tinha razão. Mas essas dores de barriga, eu só dissimulava de vez em quando, senão o casal ia desconfiar. "Macarrão enlatado!", indignava-se Graça. "Isso lá é comida de gente? Nem vira-lata de rua lambe essa peste."

Devia ser gororoba de quartel ou de acampamento, eu jogava fora o horrível capellini com gosto de sabão e saboreava calado a boa comida dos baianos.

O forte da Áurea são esses almoços de domingo, os pratos da Amazônia. Ontem, quando o Nortista me levou para comer na 308, a mulher me recebeu com efusão. Disse que seu bisavô amazonense se casara com uma filha de norte-americanos do Sul, que tinham migrado para Santarém depois da Guerra de Secessão. Desde então, a família se tornara cabocla, e ela mesma, Áurea, se sentia cabocla.

"Uma cabocla loira", disse a voz rouca.

O olhar inquieto da Baronesa procurava alguma coisa fora do lugar, mas tudo na sala estava no lugar: o quadro no centro da parede, paisagem do cerrado encomendada de um artista de Manaus, um certo Arana; a cortina de veludo verde, presa nas extremidades da janela por cordões cor-de-rosa; uma vistosa estante de mogno exibia volumes encadernados de uma enciclopédia: as lombadas desses livros pareciam enceradas; dois cinzeiros de cristal e seis cuias pretas com figuras de pássaros estavam arrumados simetricamente na mesa de centro; um par de jarrões azuis pareciam sentinelas de porcelana sufocadas por flores de plástico; o lustre dourado com penduricalhos de vidro brilhava entre a mesa de mogno e o forro de gesso do teto.

"O veludo da cortina é alemão, os cinzeiros são austríacos, e os jarros são chineses. Tudo comprado na Zona Franca de Manaus."

Áurea me levou até a janela da sala, de onde se podia ver um trecho do Eixo Rodoviário e do cerrado; lá embaixo, a poucos metros da janela, os pássaros e as estrelas azuis e brancas do belo painel de azulejos da Igrejinha, e à esquerda, o extenso gramado que termina na Escola Parque.

"Brasília nasceu aqui na 308", disse Áurea. "É a superquadra-modelo, idealizada por Lúcio Costa. Tem tudo nesta quadra: escola, cinema, igreja, parquinho para crianças, posto de saúde e polícia. Não é o máximo? O setor comercial está ali, a trinta passos. Eu tive foi sorte. Um funcionário do Banco do Brasil que morava aqui foi enxotado do país. E eu fui rápida, falei com o meu anjo da guarda e ocupei o apartamento. Tu estás caladinho... É fome? Digo isso porque o Lélio sempre está faminto, mas ele não é nada calado, fala até demais, acho que é essa mania de ser ator. Hoje tem tartarugada."

Bateu palmas e gritou: "Pode servir".

Uma moça tímida entrou na sala carregando o casco de uma tartaruga. O bicho emborcado e decapitado parecia agonizar na mesa, as patas decepadas me deram um pouco de asco, mas bastou a lembrança do capellini enlatado para eu me empanturrar de picadinho de tartaruga e farofa.

"E a tua família?", perguntou a Baronesa. "Qual é o ministério do teu pai?"

"Meu pai é engenheiro. Trabalha numa repartição pública, a Novacap. Minha mãe se separou dele e ficou em São Paulo... no interior paulista. Faz mais de quatro anos que não me encontro com ela."

"É muito tempo... Que mulher desalmada, meu filho. Por que ela não vem te visitar?"

Não sabia o que responder, e fui salvo pela chegada de três amigos da Baronesa. Reconheci pelo sotaque a origem deles: um paulista, um carioca e um gaúcho, o mais velho. Eram íntimos da anfitriã, sentaram à mesa e se serviram à vontade, pareciam acostumados à tartarugada e ao uísque da Baronesa. O paulista e o carioca eram deputados da oposição, os dois alarmados com a violência do governo Médici.

"Só vai piorar, mas não por causa de vocês", ela disse, sorrindo para os deputados. "Os políticos subversivos foram cassados, sobraram poucos. Vai piorar por causa dos guerrilheiros... assaltos a bancos, sequestros de diplomatas, assassinatos..."

Os dois deputados me olharam de viés, o gaúcho os encarava com desprezo.

"Ele é amigo do Lélio e da minha sobrinha", disse a Baronesa. "Publicam uma revista de poesia e artes. Li um poema e um artigo... um manifesto estranho, que fala de canibalismo e de artistas canibais. Não entendi nada."

O Nortista perguntou à Baronesa se o coronel Zanda tinha trazido a encomenda de Manaus.

"A lata com doce de cupuaçu? O meu querido coronel não falha. Vana guardou tudo no quarto. Os deputados adoram esse doce."

Soltou uma risadinha debochada, a boca aberta exibiu dentes de loba; os deputados riram sem jeito e olharam para o Nortista.

"Coronel Zanda...", disse o gaúcho. "Quem é esse teu querido milico infalível? Qual é a estirpe desse machão? Ou será uma bichona enrustida?"

"É assim que tu tratas o futuro prefeito de Manaus?"

"Os golpistas de 64, civis e militares, Áurea. Machões empertigados... e alguns psicopatas. O marechal Castelo Branco era um macho letrado. Um intelectual carrancudo, com um vago ideal democrático, mas foi garroteado pelos truculentos da caserna. O marechal Costa e Silva era um machão triste, de índole feroz e vingativa. Um verdadeiro cavaleiro do Apocalipse da Ordem Militar de Cristo. E esse general Médici, a matança... ele é capaz de mandar arrancar os olhos dos torturados, só para impedir que eles chorem de tanta dor."

"Cuidado, Galindo", advertiu a Baronesa, "em Brasília até os jarros escutam."

"Até os jarros do teu apartamento?"

"Ninguém sabe. Não quero conversar sobre isso. Mais um pouco de uísque?"

"Conheço os gaúchos golpistas, Áurea. Um deles foi comandante da Escola Preparatória de Cadetes. Era um conquistador aguerrido, um verdadeiro centurião nas batalhas carnais."

Um sorriso forçado surgiu no rosto do deputado paulista: "Calma, tchê".

"Tem meninos na sala, Galindo."

"Não são guris, Áurea. Qual é a idade deles? Vinte? Vinte e um? Com essa idade eu estava combatendo a ditadura de Vargas. Fui preso duas vezes pela polícia de Filinto Müller."

A empregada reapareceu para retirar as travessas e me olhou pela primeira vez. Mãos delicadas ergueram o casco da tartaruga, que tapou o decote da blusa branca. A Baronesa flagrou meu olhar e se dirigiu ao Nortista: "Tua namorada já acordou. Está lá dentro com uma amiga".

O cheiro de incenso no corredor vinha do último quarto.

"Trabalhamos até as três da manhã na diagramação da *Tribo*", disse Vana.

Ângela, de camiseta e calcinha, segurava uma folha branca e olhava o céu.

"Quem está na sala?"

"O gaúcho e os dois deputados, Vana", disse o Nortista.

"Tia Áurea adora esses dois cordeirinhos. Ela tem medo dos verdadeiros opositores, meia dúzia de políticos. Tem medo também do gaúcho, por isso fala mal dele."

"E o doce de cupuaçu?"

Vana tirou do guarda-roupa uma lata de leite em pó holandês, lacrada com durex; o Nortista destapou a lata, pegou dois pacotes de doce embrulhados em papel celofane, levou-os para a sala e voltou com uma colher. Ângela comeu um pouco de doce e perguntou pelo outro tesouro; o Nortista fisgou do fundo da lata oito pacotinhos cor-de-rosa, Ângela abriu um, enrolou um baseado e disse que ia meditar.

"Posso vender o doce para os deputados?"

"Agora não, Lélio", disse Vana. "Vamos esperar o gaúcho sair."

Ângela mostrou o desenho de uma espiral para a capa do número seguinte da *Tribo*; o Nortista tinha entrevistado Lúcio Costa em Petrópolis, diretores de teatro no Rio e em São Paulo, queria publicar as entrevistas e as fotos.

"Não vendemos nem metade da tiragem", disse Vana. "Uns quatrocentos exemplares... E só temos um anunciante, aquele dentista que gosta de poesia. O dentista ontológico... Como vamos pagar a impressão do próximo número?"

"A espiral deveria ser da cor do céu", disse Ângela. "O céu do meu poema, do que eu estou sentindo."

"Vamos aumentar o preço do doce", sugeriu o Nortista, "os deputados podem pagar mais."

O vozeirão do gaúcho dizia que o povo do Sul ia libertar o país.

Ângela movia a mão direita no ar, parecia desenhar palavras. "É um poema?", ela perguntou.

"O quê?", perguntou Vana.

"O que não foi possível fazer durante o golpe de 64, vamos fazer agora", afirmou o gaúcho. "A insurreição de 1965 no Rio Grande do Sul foi mal planejada e não tinha adesão popular."

"Os versos, Vana... Saíram da minha cabeça e agora dançam no espaço. Vocês não estão vendo?"

"Marighella é um mártir", gritou o gaúcho, "mas a guerrilha não é uma saída. Só um levante popular pode tirar os milicos do poder. Vai começar no Sul, a insurreição será sulista, vocês vão ver."

"O gaúcho tá com a macaca", riu o Nortista.

"Fala mais baixo, Galindo. Os jarros..."

"Se eu não escrever logo, as palavras somem", disse Ângela.

"Que jarros, Áurea? Alguém tem medo de jarro? Em janeiro um ex-deputado foi preso no Rio. Está desaparecido. Foi sequestrado por soldados da Aeronáutica. O ano começou mal e vai terminar... Por que nossos deputados não falam desse crime?"

"Meus dois convidados comeram demais, por isso estão calados. Ou estão tristes?"

"Esse poema estava escondido na minha mente, só agora surgiu", disse Ângela. "Foi a inspiração ou o fumo?"

"A oposição tem virtudes, Galindo", desabafou o deputado paulista.

"E muitos dons", acrescentou o carioca.

"Virtudes passivas e dons duvidosos", afirmou Galindo. "Poucos ocupam a tribuna para falar a verdade. Vocês dois emudeceram. Ou a tribuna dá choque?"

"Fica mais um pouco, Galindo", pediu a Baronesa.

"O gaúcho se mandou", disse Vana.

Quando eu e o Nortista entramos na sala, a Baronesa dizia que Galindo era um dos párias do governo deposto em 1964; estava desempregado, de vez em quando vinha almoçar com ela e trazia notícias alarmantes e falsas.

O Nortista entregou quatro pacotinhos ao deputado paulista, disse o valor do fumo, um valor tão alto que os dois políticos se entreolharam e a Baronesa riu: "Vocês podem pagar com dólar. Lélio não gosta de cheque".

Fui à cozinha e pedi um refrigerante à moça tímida; ela parou de lavar a louça e me serviu um copo com guaraná. Tomei o líquido vermelho e gasoso, e, quando pedi mais um pouco, ela disse: "Guaraná Tuchaua, lá da minha terra. O coronel traz muitas garrafas de Manaus. É bom que só, mano".

Na porta do quarto de empregada duas meninas de uns treze ou catorze anos riram e levaram uma bronca da empregada: "Já pra dentro, suas enxeridas".

Fechou a porta do quarto e olhou para mim. "São minhas sobrinhas", ela disse, sem que eu perguntasse.

No quarto de Vana, o Nortista contava o dinheiro dos políticos; enfiou as notas no bolso e disse: "Salve a *Tribo*!".

"E o dinheiro da minha tia? Ela vai cobrar de mim."

"A grana da Áurea vai pra *Tribo*, Vana."

Ângela tirou a camiseta, pegou um lápis e a folha com o desenho da espiral e deitou na cama; começou a falar de uma seita mística, da força da mente e do corpo juntos, da energia cósmica em cada um de nós. Escreveu palavras em volta da espiral, me entregou a folha e perguntou: "Isto é um poema?".

Eu não sabia dizer se as palavras soltas eram um poema.

"O pássaro lá fora... O canto dele pode inspirar um poema?", ela perguntou com voz triste.

Sentei na beira da cama e olhei o corpo iluminado por uma luz fraca; me lembrei do embaixador lendo "As criações do Som". Faisão lia os versos em inglês e depois os traduzia: "Há palavras/ Melhores sem um autor, sem um poeta".

"Vamos conversar sobre poesia?", disse Ângela, cruzando as pernas. "Poesia, energia cósmica, o que está dentro de nós... Qualquer coisa, menos política, só se fala disso em casa. Reuniões de senadores, deputados, militares, ministros, líderes. Um papo de cassino... Por que Lázaro detestou meu poema? Essas palavras que eu escrevi, a espiral..."

O Nortista foi o primeiro a sair; Vana demorou um pouco, foi atrás dele e bateu a porta. Dinah estava na reunião de domingo com Lázaro e os atores de Taguatinga...

Casa na W3 Sul, Brasília, maio, 1972

Professores, estudantes e funcionários do Centro de Ensino Médio cercavam a escola; capacetes se juntavam em caminhões e jipes enfileirados na avenida L2. O último a discursar foi o Geólogo, sentado nos ombros do Nortista. O zumbido do megafone não apagava a voz do líder: *... fechar uma das melhores escolas do Brasil... Um ato arbitrário e infame de um governo despótico...* A voz ainda ecoava quando uma poeira vermelha cobriu o campus. Vi Dinah, Ângela, Fabius e os pais dele. O embaixador, agitado, dizia palavras inaudíveis, como se fosse um mímico ou um homem sem voz. Fabius e sua mãe o levaram para o pátio da escola vazia, o Geólogo saltou para o chão, Dinah acenou para mim e se aproximou de uma das mães que cercavam o lugar. Era Lina: sorria e me esperava. Quando corri na direção das duas mulheres, uma voz de comando ordenou a invasão, a poeira vermelha ficou ocre e depois cinza. O embaixador Faisão sussurrava no meu ouvido: "Saia de Brasília, jovem". Procurei Lina, gritei o nome dela e me perdi numa nebulosa cinzenta que cobria a escola e as pessoas, civis e militares. Não conseguia andar, a poeira grudava na minha pele, os pés afundavam numa areia pardacenta...

Alguém sacudiu meu corpo, escutei uma voz repetir: "Calma, rapaz".

Era a voz do Nortista, o rosto sonolento na claridade amarela. Fiquei uns dois minutos paralisado com as lembranças do sonho, até perguntar as horas.

"Está amanhecendo na escuridão, cara. Vai cair um pé-d'água no Distrito Federal."

Maio, 1972

A chuva molhou o ar seco, o cerrado reapareceu, um pouco mais verde. Nesta sexta-feira, eu e o Nortista saímos cedo para assistir ao Seminário de Linguagem Estética e História da Arquitetura sobre os ensaios de Tafuri e Argan. Ângela, aluna ouvinte dessa disciplina, se interessou pelo tema do debate: "A arquitetura como produção de sua própria crítica". Mais tarde, no Palácio da Fome, ela sentou com a gente, comeu calada e, no fim do almoço, disse: "Você teve um sonho horrível, não é?".

"Quem?", perguntou o Nortista, num sobressalto.

"O paulista", ela respondeu. "Sei disso porque o Martim parecia avoado na aula de linguagem estética. Estava sonhando ou pensando no sonho? Você é um culpado sem culpa, cara. Quando as mães não pensam nos filhos, estão sonhando com eles. Não é o caso da minha. Uma carta da tua mãe pode estar esquecida em algum lugar. Acho que você anda distraído demais."

Ouvi do Nortista: "O apartamento onde tu moraste, Martim. Passaste por lá pra ver se tinha correspondência?".

Ângela me seguiu com o olhar enquanto eu saía do Palácio da Fome. Lá fora, ela ainda olhava para mim, e parecia me olhar quando toquei a campainha do apartamento da Asa Norte e vi uma mulher de meia-idade, a cabeça cheia de bobs amarelos; sorriu, depois soprou as unhas vermelhas, recém-pintadas. Eu disse que era o antigo inquilino e perguntei se tinha uma carta para mim. Ela voltou com um envelope, pinçado por dois dedos magros. Antes de fechar a porta, esperou alguma coisa além do meu agradecimento. Matei as aulas da tarde. Li no ônibus as palavras de Lina lamentando não receber notícias desde o fim de março, esse silêncio a deixara ansiosa:

*

Você me escrevia quase toda semana, filho. O teu tio sempre me envia tua correspondência. Sei que desde janeiro você não mora mais com o teu pai. Essa separação te distanciou de mim? Por que não me deu seu novo endereço?

Recebi as fotos dos teus amigos e da tua namorada, agora conheço o rosto deles, principalmente o rosto de Dinah, que me surpreendeu por não ser totalmente estranho para mim. Não sei dizer por quê. Ela parece muito contente ao teu lado, e também muito orgulhosa.

Você ainda não me disse nada sobre aquela detenção nem sobre tua relação com Rodolfo. O que pode ter acontecido?...

*

Contou um sonho: nós dois remando num lago, "talvez um sinal dos teus passeios de bote no Paranoá. Um lago escuro, tão imenso que as margens eram quase invisíveis. E nada por perto, nenhum pássaro ou pessoa, nenhuma presença humana ou animal. Mas nós estávamos felizes nessa solidão...".

*

Por que passei mais de dois meses sem enviar uma palavra para minha mãe? Para punir com o silêncio o silêncio dela?

Escrevi uma longa carta, que começou com o meu sonho recente.

*

Querida mãe,

Por distração, acho que escrevi o endereço da Asa Norte no envelope da última carta, datada de fevereiro. Eu e um amigo dividimos um quarto numa casa da W3 Sul.

Também sonhei mais uma vez com você. Não foi um sonho sereno num lago imenso, e sim um dos pesadelos nas noites na capital: você, outras mães e Dinah apareciam juntas num protesto contra o fechamento da escola onde estudei. Quando ia te abraçar, soldados do Exército reprimiram o protesto e as pessoas sumiram numa poeira cinzenta. Você também sumiu.

Não me machucaram quando fui detido em março de 68. Mas os pesadelos, a violência, e tudo que vem acontecendo na vida de muitas pessoas dão a Brasília um sentimento de destruição e morte que nem sequer os palácios, a Catedral, as cúpulas do Congresso e todas as curvas desta arquitetura conseguem dissipar.

Uma ou duas vezes por mês converso com minha avó, a única voz da família que ainda vive para mim. Mas na semana passada fui surpreendido com um telefonema do meu pai. Foi uma conversa breve, a voz de Rodolfo me pareceu animada, como se ele tivesse tirado a sorte grande. Em algum domingo nós vamos almoçar num clube da cidade.

Em quatro ou cinco domingos comi muito bem no apartamento da Áurea, tia da Vana, estudante de direito e namorada do Lélio. Áurea é chamada de Baronesa, e se orgulha do apelido. Os convidados são deputados federais, menos Galindo, um gaúcho de uns cinquenta anos, cuja voz exaltada fala de brasileiros desaparecidos, tortura, insurgências populares. Os deputados parecem envergonhados ou impotentes quando ouvem essas coisas. Ou parecem céticos, não sei. Só a Baronesa discorda do gaúcho, ela afirma que não tem tortura no Brasil, que os militares só matam os terroristas. É uma mulher bem-humorada, e sempre diz ao Galindo que ele bebe muito e exagera, o uísque distorce os fatos. Depois ela oferece mais bebida, e todos aceitam.

Quando falam baixo, não escuto a conversa; às vezes não entendo tudo. Numa discussão tensa, um deputado perguntou ao Galindo: "O que você prefere: um governo rígido mas honesto num Brasil próspero, ou um regime comunista totalitário num país estagnado?".

O velho gaúcho respondeu com uma segurança serena: "Uma rede de criminosos que rasgou a Constituição pode ser chamada de governo honesto e rígido?".

Depois ele foi embora do apartamento. É um entra e sai sem fim, mãe. Deputados de vários estados brasileiros passam pelo apartamento da Baronesa, e o almoço se prolonga até o jantar. Muitas vozes, todas masculinas, menos a da anfitriã. É uma festa de sotaques, com bate-bocas e gargalhadas, uma animação animalesca e vulgar, e poucos se envergonham disso.

Escuto essas discussões de natureza política no quarto da Vana, onde converso com meus amigos sobre poesia, arte e os textos de uma revista que ela e o Fabius editam. Quando almoço ou janto no apartamento do embaixador Faisão e sua mulher (pais do Fabius), o ambiente nessas refeições em nada se assemelha ao dos domingos da Baronesa. No meu sonho, o embaixador me aconselhou a ir embora daqui.

O Distrito Federal está cheio de místicos e videntes, mas os verdadeiros diplomatas são visionários. Ou o sonho é como um vento que nos ilude?

Não quero sair de Brasília, muito menos viver longe de Dinah. O que eu mais desejo é ver você. Não sei quase nada da tua vida, mãe. Será que sente mesmo saudade de mim? Só saudade não basta: as palavras e os sonhos não me comovem mais. Em várias cartas, eu disse que desejava sentir teu corpo, escutar tua voz, pelo menos o olhar… Se você não pode viajar para cá, a gente se encontra em Minas ou São Paulo. Quantas vezes sugeri isso? Por que você se desvia deste assunto? Quem, o quê, proíbe nosso encontro?

*

Vou enviar a carta e um exemplar dos dois números da *Tribo*, sem saber se Lina ainda mora em alguma cidade de Minas ou se já voltou ao "sítio no meio do mato".

Estranha tarde, tão úmida neste clima seco. Canto de cigarras fora de hora, três crianças quietas, deitadas perto de uma pitangueira. Sonham com o olhar no céu? No vão da janela, o vazio desmesurado do horizonte parece abstrair ou diminuir a cidade. Estudei geometria descritiva aplicada e terminei uma monografia sobre arte barroca em Minas. Nenhuma criança no gramado. Comi dois croquetes no Mocambo e fui à Encontro. Vendi livros sobre assuntos variados — jardinagem, I Ching, Egito Antigo, best-sellers de ficção — e convenci um leitor a comprar dois livros de poesia: *Paranoia* e *Invenção de Orfeu*. Quando escurecia, escutei sons de chocalho e vi braços femininos, longos e agitados, cheios de pulseiras douradas e pretas; a mulher usava um vestido com listas verdes e vermelhas, calçava botas de vaqueiro e andava em zigue-zague. Celeste cochichou: "Parece uma mistura de pavão com serpente".

O rosto da cliente se dirigiu a mim:

"Quero dar uma olhada na galeria de arte."

Não se interessou pela exposição de xilogravura, preferia ver "pinturas da natureza". No mezanino, onde Jorge Alegre guardava telas encalhadas, ela escolheu três: uma paisagem do cerrado com uma perspectiva de olho de pássaro, e duas pinturas de tulipas-da-áfrica, uma vermelha, outra laranja. Me lembrei da tela na sala da Baronesa: o mesmo estilo, talvez o mesmo pintor. Perguntei à mulher se conhecia Áurea, a Baronesa.

"Ela encomendou esses quadros. Vai dar de presente a um amigo que se mudou para cá."

Pagou as telas, e eu ajudei a carregá-las até o carro. Pedi ao gerente o dinheiro da comissão das vendas, ele indicou um quadrado riscado na base da parede-cega, atrás do balcão: o acesso secreto ao escritório de Jorge Alegre. "Empurra com força a parte de baixo, segue até a luzinha amarela e dá quatro batidas fortes na porta."

Entrei agachado e andei por um corredor estreito, curto, escuro, tateando as paredes. Uma pequena esfera amarela parecia um olho de fogo no centro da porta; bati quatro vezes, escutei um ruído na fechadura, um nariz rosado surgiu na fresta: "Quem te mandou vir aqui?".

"Jairo. Vendi três telas encalhadas: a paisagem e duas tulipas. Vim receber a comissão."

Jorge hesitou uns segundos, aos poucos o rosto apareceu contra a luz difusa:

"Vamos acertar isso. Cuidado com os degraus."

Desci ao porão de teto baixo. O escritório é um labirinto construído por colunas de livros; no centro, uma mesa de aço pintada de zarcão e, nas paredes, cartazes de filmes e uma fotografia da Alfama; duas lâmpadas fluorescentes fracas dão à sala uma luminosidade embaçada, como se fosse vapor de sauna.

Disse o preço dos três quadros, pagos à vista.

"Por que aumentou o preço das telas?"

"Estou sem dinheiro, Jorge."

"Sem dinheiro... Mas não devia enganar o cliente. Aprendeu essa malandragem com o Nortista, não é? Sei que estão morando juntos. Ele leva livros emprestados e depois os vende com desconto no campus."

Puxou uma gaveta, pegou um maço de notas e me deu o dinheiro da comissão.

"O Martim é um empregado de confiança."

Ia agradecer o elogio, mas Jorge não falara comigo: virou o rosto para o canto esquerdo da sala, onde uma mulher estava de pé entre duas colunas de livros. Devia ter uns trinta e cinco anos ou quarenta, os olhos amarelados e graúdos me observavam com uma expressão misteriosa. O olhar no rosto belíssimo me deixou confuso.

"Ele é amigo do Damiano", disse o livreiro. "Um dos alunos daquele grupo de teatro. Atores jovens... Antes eles vinham aqui para ensaiar no auditório e roubar livros."

Jorge me acompanhou até a escada; parei perto de uma coluna de livros, o mesmo título e autor nas lombadas, e tentei rever o rosto da mulher. "Esses livros não estão à venda", afirmou Jorge. "Não entre mais aqui sem a minha autorização."

Às sete horas Fabius telefonou: que eu fosse jantar na casa dele, o embaixador queria conversar sobre a *Tribo*. A voz, estremecida e um pouco sufocada, não parecia um convite, e sim um chamado urgente. Fui a pé à superquadra 307. Ângela estava no térreo do bloco do embaixador; os olhos dela molhados e vermelhos, de choro recente.

"Brigou com Fabius?"

"Com a mãe dele, Martim. Ficou puta comigo só porque eu disse que o embaixador devia meditar na pirâmide do Vale do Amanhecer. A mulher jogou na minha cara que meu pai era um senador ignorante, metido a letrado, puxa-saco do Médici. Depois disse que minha mãe era uma mucama da primeira-dama, uma safada que distribuía comida para os favelados das Vilas Operárias da Cidade Livre e passava férias em Miami com um amante, deputado da oposição. Falou coisas horríveis. Fabius é um banana, não me defendeu. O embaixador entrou na sala e disse que ia enlouquecer se não fugisse dessa ratoeira. A mulher perguntou se ele tinha tomado o medicamento, Faisão me encarou, e aí eu tive certeza de que ele precisava mesmo de uma ajuda cósmica, Martim. Quem não precisa reavivar a energia interior? Ele me olhava, mas não via nada, ninguém. Aí a mulher foi pegar o remédio, e eu dei o fora."

Acompanhei Ângela até a 309, onde ela morava.

"Você não quis conversar sobre poesia no apartamento da Baronesa. Nem queria transar comigo. Ou queria e ficou com medo? Dinah pensa que eu sou uma mística maluca e vulgar. O amor por ela enfeitiçou você e os outros? A atriz sabe atrair, depois derruba um por um. Você reparou nas linhas das mãos de Dinah? No desenho dessas linhas? Não? Então fique atento, Martim."

Andou apressada no gramado escuro, um homem de preto fumava na entrada do bloco C e acenou para ela. Cão de guarda do senador?

Fabius e o casal Faisão me esperavam na sala; a embaixatriz, com um sorriso de anfitriã, parecia dissimular o bate-boca recente com Ângela. O fingimento familiar pode ser convincente, mas por quanto tempo?

Durante o jantar, Fabius observava o pai e comia sem vontade; a mulher me oferecia mais comida, talvez exagerasse a gentileza para esconder o mal-estar.

"Decidi viajar amanhã", disse Faisão, "mas só vou saber o destino do voo ao meio-dia. Fiz isso outras vezes... Já parti, antes de mim. A viagem é uma dádiva. Abri essa garrafa de vinho para festejar a despedida."

Mãe e filho se entreolharam, sem brindar o adeus do viajante. Sabiam que ele não ia viajar, não era a primeira vez que Faisão falava de uma viagem imaginária. Brindei timidamente, comia e bebia com ânsia, lembrando as palavras de Ângela: *Dinah sabe atrair... O amor por ela enfeitiçou você e os outros? Reparou nas linhas das mãos de Dinah, no desenho dessas linhas?*

"Minha família quer ficar aqui", continuou Faisão, "mas Brasília acabou para mim."

Tomei outra taça, fiquei de olho no tutu de feijão, a mão da embaixatriz tocou o meu braço: "Pode repetir, querido".

Como essa voz mineira, tão terna, havia insultado Ângela?

Chamou a cozinheira e ordenou: "Pode trazer a sobremesa e o café, Vidinha. Depois pode ir embora".

Faisão foi até a copa e voltou com uma garrafa de cachaça e dois copinhos, serviu uma dose para mim, outra para ele.

"Não é muito forte para o nosso convidado? Você nem sabe se ele gosta dessa bebida."

"Só gosta ou desgosta quem prova", ele respondeu à mulher. "É engarrafada em Sobradinho, mas o alambique é de Minas."

No rótulo da garrafa, a figura de um diabo vermelho, rindo e dançando ao lado de palavras pretas: "Forças Ocultas — cachaça genuína de Minas Gerais".

Depois do primeiro gole, expeli ar morno, senti uma queimação no peito e na garganta; tomei toda a dose, o embaixador encheu os dois copinhos, observei a dança do diabo no rótulo e depois o rosto de Faisão, um pouco deformado pela minha vista turva. Ele ria mais que o diabo: ria de verdade; Fabius sumiu, a voz da mulher repetia: "Não precisa beber mais". A voz dela também sumiu, o embaixador esperou meu último gole, pegou a garrafa e o copinho e me chamou para conversar no escritório.

Sentei no sofá-cama azul-marinho, leito da primeira noite com Dinah. Recordei vagamente minha gula bêbada, meus gestos desastrados de virgem, as palavras sopradas: *Beija e morde meus seios... Outro dia, Martim. Na beira do lago ou no laboratório fotográfico... Hoje não posso... E você está de porre, cara...* Acordei com a claridade azulada do amanhecer, depois o sol amornou minha cabeça pesada, escutei vozes na copa, Dinah não estava ao meu lado. Vi uma máquina de escrever na escrivaninha, fotografias antigas na parede, e uma cadeira também antiga, a mesma em que Faisão sentara e folheava a *Tribo*. Leu em voz alta o nome de um grupo de músicos de Brasília e o título de um artigo: "Delírio de um calouro"; depois riu da caricatura do general-presidente: rosto de macaco, quepe na cabeça de velho, a figura grotesca abocanhava uma banana na copa de um tucaneiro, a árvore grande do cerrado tinha a forma do mapa do Brasil.

Ficou sério, deixou a revista sobre a máquina de escrever. "Os poemas que você publicou, a influência das últimas leituras... Apollinaire, Maiakóvski, Bandeira. Mistura estranha, mas saudável. No começo a imitação é necessária, inevitável. Todo poeta jovem navega sem bússola e sem destino em águas misturadas. Tua tradução de 'Os desertos do amor' é legível, você acertou no tom, e isso não é pouco. O Nortista, aquele teu amigo do Amazonas, o ator e vendedor de doces... ele publicou na *Tribo* versos do 'Opiário' e escreveu uma introdução razoável à poesia de Álvaro de Campos: 'A outra pessoa de Pessoa: o engenheiro metafísico e os desertos da vida'. Gostei desse título e dos poemas que ele escolheu."

Bebeu mais um copinho de cachaça e olhou a fotografia de um jovem ao lado de um lobo, sob um céu nublado. "Fabius não quer sair de Brasília. Ele pode continuar os estudos aqui, pode ir até o fim. Muita gente se esforça para fingir que tudo está bem, que vive no melhor dos mundos e vira as costas para a infâmia. Meu próprio filho tem a cabeça fora do lugar. Finge que está alheio à política, ignora que há um cerco em Brasília. Tudo está ficando mais complicado. Depois do AI-5, o medo tomou conta. A liberdade é uma quimera. Essa noite macabra é muito longa, não vai acabar tão cedo assim. Um dia termina. A história é movediça. Fabius, Ângela, o Nortista e a namorada dele... todos são muito autoconfiantes. A autoconfiança exagerada é tão nociva quanto a incapacidade de compreender. Ninguém sabe o que está acontecendo no Palácio do Planalto e no comando das Forças Armadas, jovem. O que eu sei... o pouco que eu sei é desanimador. Vivo no ostracismo, mas tenho alguma proteção, uma carreira no MRE, um livro sobre a colonização portuguesa na África Ocidental, ensaios sobre literatura africana... Meu trabalho intelectual não vale nada para este governo. Mas ainda tenho amigos no Itamaraty e boas relações em outros ministérios. Fabius me disse que tua mãe demora a dar notícias e leva uma vida de cigana."

Faisão levantou-se e lançou um olhar grave para mim, o rosto mais sério ainda. "Teu pai é um engenheiro de obras, não pode fazer nada por você. Os pais da tua namorada são apenas funcionários de ministérios. É muito pouco para proteger alguém. Sei que você está preocupado com a tua mãe. É melhor ir embora daqui, jovem. Arrumar a mala e não adiar a viagem."

Fabius entrou no escritório, viu meu rosto pálido e as mãos irritadas do pai, abrindo e fechando a *Tribo*.

"Você e o moço do Amazonas não têm costas quentes. Eu estou confuso, talvez perturbado. Mas vocês estão indefesos. E sem proteção, essa cidade..."

"Que conversa é essa? De que vocês estão falando?"

"Das armadilhas de Brasília, meu filho. Dos desertos da vida."

Galeria do Hotel Nacional, Brasília, junho, 1972

O céu noturno do sábado, mais iluminado que a cidade; as luzes dos ministérios, apagadas, só um brilho prateado na Torre de TV.

Jorge Alegre havia distribuído ingressos aos amigos que iam ver um filme cubano: *A morte de um burocrata*. Uma hora antes da sessão, o livreiro nos instruiu: os convidados diriam a senha de três números a Celeste e eu vigiaria o acesso ao Hotel Nacional. Se eu visse uma viatura da polícia ou algum suspeito, deveria ir ao escritório de Jorge e avisá-lo.

Nenhum carro ou pessoa que provocasse suspeita; às sete horas, os primeiros convidados mostravam um documento com foto e diziam os números da senha a Celeste. Lázaro, Dinah e o Nortista chegaram juntos; não vi Ângela nem Fabius. Um baixote entroncado de uns sessenta anos e costeletas grisalhas usava uma jaqueta marrom e escondia a mão direita no bolso da calça. Uma mulher de uns oitenta anos, magra e elegante, toda de preto, cabelo longo e branco, parecia animada para ver o filme: queria puxar conversa, mas as pessoas a evitavam, ou todos evitavam uns aos outros. Às oito em ponto, um homem saiu da escuridão, atravessou a passagem da galeria e mostrou um documento a Celeste. O Geólogo! Ele mesmo. Sentou perto da entrada do auditório e todos olharam para ele, como se estivessem diante de um totem.

Contei o número de convidados, perguntei a Dinah por que Ângela e Fabius não tinham sido convidados: "Jorge não gosta deles?".

"Talvez goste, mas não confia no casal, Martim."

Fui ao escritório e disse a Jorge Alegre que todos os convidados já estavam no auditório.

"Quantas pessoas?"

"Vinte e oito."

A fumaça da cigarrilha na luz branca cobria o rosto do livreiro.

"Vinte e oito", ele repetiu. "Acompanha o Damiano até o estacionamento do hotel."

Damiano e a mulher de olhos amarelos estavam sentados entre caixas de papelão; um livro aberto tapava o rosto dela, Damiano fez sinal para que eu o seguisse: contornamos o Hotel Nacional e paramos num descampado mal iluminado. Um homem alto veio em nossa direção.

"Jaime Dobles", disse Damiano. "Ele vai falar sobre o cinema cubano depois da projeção do filme."

Damiano abraçou o homem alto, de uns trinta anos; os olhos um pouco puxados lembravam os do Nortista.

"Que céu estrelado", ele disse em espanhol. "Uma noite tropical, uma bela noite cubana na cidade futurista."

O tom pomposo da voz sem ironia me fez sorrir.

"Quem Jorge Alegre convidou para a sessão?", perguntou Jaime Dobles.

"Líderes estudantis, sindicais... E amigos que trabalham em comunidades nas cidades-satélites. Todos confiáveis."

Damiano bateu no meu ombro e riu: "Todos, menos este estudante de arquitetura. Não é líder nem militante, mas trabalha na livraria".

Jaime Dobles parou e fez uma pergunta em voz baixa, Damiano ficou pensativo, talvez preocupado, e demorou um pouco para dizer: "Não sei".

Entramos no corredor escuro pela portinhola falsa; antes de descer ao porão, Jaime Dobles curvou o corpo e perguntou: "O livreiro conspira nesta catacumba?".

Quando Damiano abriu a porta do escritório, vi uma cena estranha: Celeste, diante de Jorge e da mulher, dizia: "Vinte e nove, vinte e nove... Tenho certeza".

Jaime Dobles abraçou Jorge Alegre e beijou a mulher no rosto. Celeste evitou meu olhar, como se não me conhecesse.

"Alguém falsificou um ingresso", disse Jorge. "Celeste contou vinte e nove pessoas no auditório. Vamos cancelar a projeção do filme e a palestra."

Jorge me encarou: "Você não sabe contar? Se não fosse a Celeste...".

Disse que ela controlava a entrada das pessoas. Não podia ser um acompanhante?

"O Martim é ingênuo demais", disse Jorge. "Eu e um amigo selecionamos os convidados e pedimos sigilo a todos. Alguém revelou a senha a uma pessoa que pode ser um delator. Posso reconhecer o penetra, mas é impossível saber quem deu a senha para ele. Há duas pessoas suspeitas nesse auditório e eu não quero correr risco."

"Você falou da palestra do Jaime para alguém?"

"Claro que não, Damiano. Você sabe. Mas falei do filme cubano e isso é suficiente."

Jaime Dobles concordou: ninguém devia se arriscar, e ele não queria problemas no início de sua carreira. Jorge Alegre olhou de novo para mim e depois para Celeste: "Vão ao auditório e digam que a lâmpada do projetor queimou e que a sessão foi cancelada".

Damiano e Jaime Dobles saíram da livraria; no auditório, Celeste deu a mensagem de Jorge.

"Então vamos conversar sobre o filme cubano", sugeriu o baixote de costeletas grisalhas.

"*A morte de um burocrata* não passou em nenhum cinema de Brasília", disse Celeste.

A mulher idosa levantou o braço direito: "Eu vi esse filme. É uma ótima crítica à burocracia, essa praga".

Duas pessoas a aplaudiram, o baixote pediu silêncio e sugeriu um debate sobre a Revolução Cubana.

"Quem é você?"

Ele olhou a mulher toda de preto e disse que trabalhava na Pastoral da Terra, no Núcleo Bandeirante. Um palito de picolé voou como uma flecha e se enganchou na juba crespa do homem. O Nortista disse em voz alta: "Chifrudo do Núcleo Bandeirante". O baixote tirou o palito da cabeça e perguntou: "Quem foi o filho da puta que disse isso?".

"Esse cara é maluco", cochichou Celeste.

Comecei a recontar o número de pessoas na sala, mas me atrapalhei com a risada da mulher idosa, que se divertia feito uma avó feliz. De repente a sala ficou em silêncio: a mulher de olhos amarelos estava ao lado de Jorge Alegre na entrada do auditório; ficou parada e séria por um instante, e, quando saiu, escutei a voz ríspida do livreiro: "A sessão foi cancelada. Apaga a luz, Celeste".

O Geólogo foi o primeiro a escapulir do auditório, o baixote o seguiu com os olhos e andou resoluto em direção à porta, abraçou Jorge Alegre e começou a falar, mas o livreiro não lhe dava atenção: examinava o rosto de cada convidado que saía da Encontro. Ele mesmo fechou a livraria, se despediu do baixote e foi embora sozinho, sem dúvida aborrecido. Na calçada, Dinah quis saber o que tinha acontecido.

"Um penetra na plateia... Dois dedos-duros. Um estrangeiro ia dar uma palestra sobre o cinema cubano."

"Ainda bem que a sessão foi cancelada", disse o Nortista. "Trotskistas e stalinistas num debate sobre Cuba e burocracia não ia terminar bem. Vamos ao Beirute? Os novatos da *Tribo* devem estar lá."

"Vou dormir na casa do Lázaro", disse Dinah. "Amanhã nós vamos ajudar a construir uma casa em Ceilândia Norte. Martim vem com a gente?"

22.

Paris, inverno, 1978

O que Lina teria escrito ao meu pai?

Sobrou apenas o envelope grande, branco, repleto de selos com desenhos de igrejas barrocas de Minas e fotos de duas esculturas do Aleijadinho. Demorou nove dias para chegar a Brasília, e nele havia duas cartas: uma, lacrada, para Rodolfo: a primeira para ele. A outra, para mim. No envelope branco o carimbo dos Correios, borrado, me impedia de ler a data e o lugar da postagem; no cabeçalho, Lina escrevera apenas o mês e o ano: "Junho de 1972".

Depois de ler a carta, eu a copiei num caderno, talvez intuindo que ia perdê-la, ou por ter sido a única datilografada. Lembro que as letras cinzentas de uma fita velha tinham dificultado minha leitura: as palavras quase apagadas e a exclusão do nome de uma cidade me levaram a pensar que Lina se distanciava cada vez mais...

*

Li os poemas que você publicou na *Tribo*, filho. E também tua tradução de "Os desertos do amor". Tento entender esse texto, que me deixou angustiada. Por que você o escolheu para traduzir? "Um jovem sem mãe e sem país... na noite surda e na fuga da felicidade..." É um texto tão bonito quanto estranho. Você se sente assim? Triste, abandonado, desesperado?

Não conheço a poesia de Rimbaud, sei apenas que foi um jovem atormentado. Um alucinado. Aliás, não falta alucinação nos dois números dessa *Tribo*! No segundo, a confissão de um general a um rapaz e os desenhos que ilustram esse monólogo são inquietantes. Os dois nus, de paraquedas... O velho militar com feições simiescas! Você imagina as implicações de tanta insensatez? E esse "Delírio de um calouro"? "Viagem de um gaúcho de Pelotas ao Planalto Central, ao Nordeste, ao arquipélago do Marajó e depois ao Acre, até dizer chega!" Só uma cabeça perturbada escreve isso, filho. Alguém pode segurar seu próprio cérebro e conversar com ele e depois com brasileiros, do sul ao norte? Você, tua namorada e os teus amigos também usam drogas? O que a vida está lhe dando? A vida em Brasília está estragando tua formação?

*

Lina decidiu reunir todas as queixas; não era mãe que ameaçava, apenas interrogava, advertia, aconselhava... Castigos, ameaças e punições eram tarefas paternas.

Dácio estava de partida para os Estados Unidos; quando Lina voltasse ao sítio, me informaria o endereço de uma aluna de francês, em Campinas ou Jundiaí, para onde eu deveria enviar a correspondência.

Lembro que apalpei o envelope grosso, cheio de palavras destinadas ao meu pai.

O que essas palavras diziam?

23.

Brasília, segunda-feira, junho, 1972

Ontem Rodolfo me convidou para almoçar com ele e sua "esposa" no Iate Clube. A voz, nada hostil, seria um convite à reconciliação?

Às treze horas, meu pai e uma morena saíram de um Opala azul-marinho; não era a mulher que eu tinha visto uma noite na rua, perto do Beirute. Rodolfo também parecia outro: usava uma bermuda coral e uma camisa com estampa quadriculada. A roupa vistosa, incomum no corpo do meu pai, combinava com uma expressão de êxito. Me apresentou à esposa, me abraçou com uma intimidade paterna e pôs um papel dobrado no bolso da minha camisa: o cheque era um presente dele e de Margarida.

O abraço caloroso e o cheque me surpreenderam.

Sentamos de frente para o lago, e, enquanto Margarida examinava meu rosto, o valor do cheque dançava na minha cabeça.

“Você conhecia o clube?”

Disse a Margarida que eu e Rodolfo tínhamos sido barrados por um segurança do Iate; mencionei esse passeio de bote e outro, solitário, em que fui detido pela Guarda Presidencial. Margarida dissimulou o mal-estar, e até sorriu. Meu pai se apressou em pedir ao garçom um bife a cavalo, e a conversa saltou do bote e da detenção para o Senado Federal, onde Margarida era assessora de alta confiança. Foi isso que ela disse, talvez para cortar um assunto incômodo. Depois pediu ao garçom uma salada e uma água mineral, e eu, uma cerveja e um espaguete à bolonhesa, assim recordaria o prato preferido da minha mãe e esqueceria o maldito capellini enlatado. A lembrança da minha detenção parecia gravada na mudez e na expressão de Rodolfo: a vergonha que sentia do filho, prisioneiro por uma única noite. Mas era apenas vergonha? Não sentia medo ou algum tipo de ameaça? Eu olhava o lago e fazia perguntas em silêncio, tentando abstrair a presença das pessoas e vozes ao redor. Quando o garçom trouxe a bebida e a comida, sugeri um brinde ao nosso encontro. Por distração ou negligência, esqueci de agradecer o cheque; depois do brinde com cerveja e água, Rodolfo perguntou como iam meus estudos no Instituto Central de Artes.

“Agora se chama Instituto de Artes e Arquitetura.”

“Bom, dá no mesmo. Você já decidiu se vai ser arquiteto ou urbanista?”

Dei uma resposta vaga, e ele me surpreendeu mais uma vez: largara o emprego na Novacap, eu poderia trabalhar no escritório.

“Qual escritório?”

“De projeto e construção. Eu e meu sócio estamos construindo duas casas na ponta do Lago Sul, depois vamos construir aqui, no Lago Norte. Meu sócio ganhou terrenos e tem amigos. Eu faço os cálculos da estrutura e acompanho as obras."

Na mesa ao lado quatro homens bebiam e falavam alto sobre gado, terrenos e obras; abri o guardanapo de papel, peguei minha caneta e anotei trechos da conversa; depois ouvi Rodolfo dizer que Brasília ia explodir de tanto crescer; parei de mastigar e escrever, comecei a rir; meu pai quis saber a razão do riso.

"Uma conversa no feriado de Quinze de Novembro, em 67", eu disse. "Na praia dos Pescadores, em Itanhaém. Você olhou para o mar e disse que o Brasil ia crescer muito, como se fosse um campo coberto de cogumelos. Os militares e civis patriotas estavam limpando toda a bosta comunista que ameaçava o país. Minha mãe entrou no mar e me chamou. Foi a nossa última viagem a Itanhaém."

Rodolfo retalhou o bife meio cru e os ovos fritos, o sangue da carne se misturou com o amarelo das gemas, e o líquido amarronzado regou o prato. Ele mastigava depressa, fazendo um vendaval de ruídos que davam um pouco de aflição. Margarida virou o rosto para a mesa à esquerda e acenou para um dos homens. O mais jovem falava que o senador queria comprar terras no Mato Grosso e um fazendão no norte de Goiás.

No Mato Grosso tem terra a perder de vista, senador, disse outro homem. *O problema da floresta é muito índio e pouca estrada.*

Isso é um problema?, riu o senador.

Meu pai garfou o último pedaço do bife e mastigou mais devagar, atento.

A gente pode fazer um loteamento em Águas Claras, disse o mais jovem. *Os terrenos perto do Plano Piloto vão se valorizar. É só arranjar um sócio. Conheço um coronel que topa.*

Terminei de comer e entreguei a Rodolfo a carta de Lina. Meu pai leu o nome do remetente, afastou o prato com um gesto brusco e pediu a conta ao garçom. Não conseguiu dobrar o envelope espesso e se atrapalhou com o que ia dizer.

A vegetação ressequida parecia um tapete coberto de fuligem; um veleiro verde navegava devagar no meio do lago, e mais perto da margem uma lancha branca e barulhenta agitava a água. Nenhum bote de borracha. Margarida, de olho no meu guardanapo, tentava ler minhas anotações; Rodolfo empalidecia enquanto apalpava o envelope: parecia exasperado com a carta que nem sequer tinha lido. Minha mãe se vingava de todas as humilhações?

Em menos de dez anos, tudo perto de Brasília vai valer uma fortuna, senador.

Pagou a conta e ficou batendo o envelope na borda da mesa, como se quisesse rasgá-lo, e desse rasgo sairiam as palavras de Lina.

"Por que tua mãe me mandou essa carta?"

Coloquei o guardanapo e a caneta no bolso da calça. Melhor cair fora do Iate.

"O que essa mulher quer de mim?"

Ele repetia a pergunta enquanto eu me afastava do Iate Clube, a voz e os estalos do envelope na mesa ainda ressoavam na minha cabeça quando peguei o ônibus para a Asa Sul. A carta de Lina amargara o almoço de reconciliação com o meu pai. Pensava na fragilidade dessa trégua e no valor do cheque: nem fortuna nem miséria. Em São Paulo, Rodolfo dirigia uma Romiseta para fiscalizar obras e passear aos domingos; talvez se contentasse em morar no pequeno apartamento da rua Tutoia. O homem se arvorou em Brasília: não iria muito longe com a "professorinha de francês", como se referia à profissão da minha mãe. Nos sábados em que ele ia a uma quermesse e depois jantava com fiéis, eu ajudava a "professorinha" a limpar o apartamento e torcer e estender a roupa que ela lavara. De vez em quando almoçávamos com tio Dácio na praça Dom José Gaspar, e no começo da noite, já em casa, minha mãe abria o velho *Guide de Paris* e nós visitávamos museus, atravessávamos uma ponte sobre o Sena e sentávamos à mesa de um café para comentar obras de arte; esses passeios parisienses na Tutoia animavam minhas noites, que só terminavam com os sons secos de passos na escada, seguidos pelo ruído metálico de uma chave na porta. Numa noite de setembro de 1967, Lina fechou o *Guide* e me olhou como se tudo tivesse sumido ao redor; naquele instante não pude entender que o choro calado no rosto dela não expressava dor nem tristeza, e sim amor por outro homem. Passados poucos meses, a "professorinha" foi viver com o artista e deixou o ex-marido perturbado, mas com as mãos livres para agarrar o futuro.

Está bem ali, esse futuro paterno: nas margens do lago Paranoá, nas matas e campos do cerrado que passavam pela janela do ônibus no domingo silencioso, depois do almoço no Iate Clube. No outro lado da avenida W3, vi o cartaz de *Um bonde chamado desejo* na entrada do Cine Cultura. Rodolfo e a mulher conversavam sobre as palavras de Lina? Margarida parecia determinada, eu não sabia a quê. Tinha uns trinta e três, idade para ser mãe, mas não minha, a menos que tivesse parido aos doze anos. Recordei o decote da blusa azul, o sorriso sorrateiro no rosto bronzeado, o olhar furtivo nas minhas anotações e no envelope branco, enganchado na mão direita de Rodolfo. Mesmo ausente, minha mãe rondava a mesa do Iate, aguçando a curiosidade de Margarida, enraivecendo Rodolfo até o desespero.

Quando entrei em casa, Graça interrogava o filho mais velho: "Onde conseguiu dinheiro pra comprar essa porcaria? Pegou na minha bolsa, não é? Eu estava desconfiando dos inquilinos, mas foi você".

"Hoje é dia de desordem no nosso lar", disse o Nortista, pondo um livro aberto sobre o colchão. "A casa está em pé de guerra. Graça deu um flagra no filho, pegou o marmanjo dando umas pitadas no jardim. Vendi um pouco de fumo pra ele, não é isso que tu queres saber? O moleque não vai dedurar ninguém. Revende o fuminho pros filhos das clientes da manicure e lucra um bocado. Deixa eu ver esse cheque. Ganhaste do papai? Teu velho é de ferro, mas é mão-aberta, cara. Grana pra viver uns seis meses. Tu me emprestas um pouco? A Baronesa vai cortar a remessa de fumo. Não quer me ajudar mais, agora ela quer que eu arranje um emprego público. Não sei se vou ser arquiteto. Sou ator, se virar um burocrata estou perdido."

Saí de casa e fui ao jardim da 711: uma menina de olhos vendados dava passos vacilantes perto de uma pitangueira, os dois amigos riam, e a cabra-cega, atraída pelo riso, esticava os braços, corria um pouco e parava, o rosto erguido para o céu invisível, esperando os sons das risadas. O nome do meu pai, ilegível na assinatura rebuscada no cheque. *Grana pra viver uns seis meses*... Largaria o emprego na Encontro? Tempo para ler e estudar... A brincadeira tinha acabado; a menina e os amigos arrancaram pitangas amarelas e sentaram sob a árvore; os olhos dela, de um verde quase translúcido, lembram os de Dinah: olhos adultos que escondem sonhos. Voltei para casa pensando nisso. Dinho e Graça jogavam dominó na sala, o filho caçula fazia uma lição, o marmanjo talvez de castigo no quarto. O Nortista, deitado no colchão, lia um romance. Perguntei se topava ver um filme no Cultura, depois a gente estudaria para a prova de cálculo. Ele não desviou os olhos das páginas do livro, apenas fez um leve gesto com a cabeça.

Tocou o telefone e Graça me chamou. A voz do meu pai era a mesma da rua Tutoia: eu tinha sido insolente e insensível durante o almoço, não deveria ter mencionado o nome de minha mãe nem dado a carta para ele na presença de sua esposa. "Margarida me pediu para te dar esse dinheiro, mas você merece viver num pardieiro e comer no restaurante universitário. Pode rasgar o cheque, vou sustar essa porcaria."

"Rasgar?"

"Isso mesmo", disse a voz, agora calma, e mais ameaçadora que um grito.

Dinho e Graça me olhavam, sem entender o significado do único verbo que eu pronunciei.

Contei ao Nortista: Rodolfo ia sustar o cheque, o motivo talvez fosse a carta que minha mãe enviara para ele.

"O que ela escreveu pro teu pai?"

"Não li a carta, o envelope estava fechado."

"O envelope estava fechado", ele repetiu. "E tu não ficaste curioso pra ler essa carta? Nem tiveste coragem de rasgar essa porra, só porque foi tua mãe quem escreveu? Então o teu pai já sabe de coisas que tu não sabes e nunca vais saber. Ainda bem que o cheque não é nominal. Vou atrás desse dinheiro agora mesmo."

"Domingo? Tudo está fechado."

O Nortista pegou o romance que estava lendo e um livro de Fernando Pessoa.

Até agora, meia-noite e vinte da segunda-feira, não voltou.

Terça-feira, junho, 1972

O Nortista ainda não deu as caras. Uma encrenca com o cheque? Às nove da noite fui ao apartamento da Vana, e, depois de tocar várias vezes a campainha, alguém destrancou a porta e girou a maçaneta: vi pela fresta o recorte do rosto da Baronesa e escutei gemidos fracos, que pareciam vir da cozinha. O olho direito da Baronesa me encarava através da fenda, perguntei pelo Nortista e quis saber se alguém estava doente.

"Lélio dormiu aqui domingo. Ontem de manhã ele saiu com a Vana. Não te convido para entrar porque a empregada está passando mal."

Fechou e trancou a porta. Enquanto esperava o elevador, escutei os gemidos, mais prolongados, mais abafados; gemidos e uma voz masculina, quase inaudível.

Depois, o silêncio... Este silêncio precário de Brasília.

Casa da Asa Sul, Brasília, noite de quarta-feira, junho, 1972

Cheguei da Livraria Encontro e vi a carta do Nortista sobre o meu colchão.

*

Martim,

Passei por aqui para pegar livros e roupa e deixar a grana do cheque. Essa sórdida odisseia em busca do dinheiro fica pra depois. Vou viajar pelo Distrito Federal, por Goiás ou Minas. Levo o romance do escritor mineiro para entender o amor, meu amor talvez impossível, mas nada platônico.

Domingo, depois de descontar o cheque num cassino da capital, dormi no ap. da Vana. Segunda-feira, bem cedinho, viajamos com Ângela (no volante da Kombi) até Paraúna, depois pegamos uma estradinha de terra e continuamos a pé por mais de uma hora e armamos uma tenda na sombra de uma "árvore sagrada". Ângela disse que tudo era sagrado ou misterioso na serra das Galés. A pitonisa já conhecia o lugar, e durante a viagem tinha falado das formas das rochas calcárias, "um bestiário incrível". No fim da tarde levou a gente até o topo de uma colina rochosa, onde os amantes exorcizavam o ciúme e o mau-olhado, e se reconciliavam. Tirou a roupa e abriu os braços para o horizonte, o vento frio ia purificar nosso espírito. Vana percebeu que eu estava de olho no corpo da Ângela, pensei que a gente ia brigar de novo, mas ela desceu e entrou na tenda, depois nós três comemos mangabas, pequis e sanduíches de queijo; Ângela enrolou um baseado e contou que tinha acampado com Fabius no pé de uma serra bem longe dali, ninguém por perto, só os dois no cerrado, os animais e as flores maravilhosos que eles viram, seriemas, uma jararaca, e tantos passarinhos, o meia-lua, o beija-flor-chifre-de-ouro, o pula-pula, as pescarias no riozinho da Lua, cachos de morcegos-vampiros numa caverna, uma história atrás da outra, Martim. Vana foi atraída pelas fábulas da mochileira, uma Xerazade deitada na esteira da tenda, o rosto e os ombros iluminados pelo candeeiro, a voz de fada contando como Fabius se sentia ameaçado pela natureza: "Como é frágil meu namorado, Vana, ele se arrepiava de medo quando via uma aranha na esteira, ou quando escutava o canto de um sapo, um canto que vinha do fundo da terra, às vezes era só o ruído do vento, de onde vem essa fraqueza do Fabius, não sei".

"De tanto sentir medo, ele nem conseguiu transar", disse Ângela, "sete noites de vigília medrosa, e durante o dia era um cara acabado." Falou de Fabius por um bom tempo, e de manhã não vi as duas na tenda nem nas enormes rochas de calcário, só apareceram ao meio-dia. Vana disse que eu dormia profundamente, por isso não me acordou. Quanta delicadeza desse amor! De tarde, Ângela quis ver uma borboleta vermelha e preta, as asas com desenhos circulares: dois zeros deitados, símbolo do infinito. Saiu com Vana em busca das asas numeradas ou simbólicas, e eu me recolhi na sombra de um pequizeiro, terminei a leitura do romance, depois reli versos de "Opiário", conversando com o poeta-engenheiro Álvaro de Campos, pensando nas metáforas do deserto, imaginadas pelo duplo de Pessoa. Eu mesmo me sentia na solidão de um deserto. Saí da sombra do pequizeiro e fui olhar os morros secos e verdes que se alternavam em ondulações até o horizonte. A noite de terça-feira esfriou muito, deitamos cedo, Ângela não fabulou na tenda, uma Xerazade em silêncio era sinal de mau agouro nessa noite de rei deposto, e eu dormi o sono dos desconfiados. Quarta-feira de manhãzinha voltamos a Paraúna, tomamos café numa padaria, Ângela e Vana conversavam e riam longe de mim, num passeio de mãos entrelaçadas pela cidadezinha pacata, cercada por serras. De volta a Brasília, percebi que tinha ficado sozinho a maior parte do tempo, e que essa viagem com Ângela talvez fosse uma armadilha da Vana. Não sei. Também não sei se há outra história nessa história.

Acho que tu estás no campus, embatucado com a prova de cálculo estrutural, eu não tinha cabeça pra resolver equações complexas, calcular coordenadas polares e volumes cheios. São quase onze da manhã, vou pegar a estrada e passar todo o mês de julho fora de Brasília, ou fora de mim...

Um abraço.

Lélio

P.S.: Paga o aluguel do quarto. Enfiei a grana do teu velho nos buracos dos tijolos que sustentam os livros da Civilização Brasileira.

Brasília, 17 de agosto, 1972

Eu e Dinah ainda não vimos o Nortista no campus. Ontem, Vana nos disse que ele "andava por aí, batendo a cabeça em alguma cidade de Goiás".

"Batendo a cabeça?"

"Isso mesmo, Dinah. Batendo a cabeça dura e torrando uma nota. Onde ele arranjou tanto dinheiro? Perdeu todas as aulas, levou falta nas disciplinas. O Lélio quer dançar com a vida. Queria que eu ficasse com ele, pulando de cidade em cidade, tomando banho nas cachoeiras, lendo poemas e trechos de um romance, fumando um baseado e rindo para a lua e as estrelas."

Quando Vana se afastou, Dinah disse que a cabeça da namorada do Nortista era oca, uma cabeça cheia de pensamentos sem conteúdo, vazios.

"Ela olha as estrelas e a lua, e não sente nada. O olhar da Vana é curto, só vê atalhos."

28 de agosto, 1972

Apareceu na noite desta segunda-feira. Disse que a história com Vana era uma gangorra em movimento, uma gangorra perigosa, como são tantas histórias de amor: o peso do sofrimento numa extremidade, o prazer do gozo na outra. Tinha ido sozinho a Goiânia, e na segunda semana de julho telefonou para Vana e convidou-a para passar uns dias com ele em Pirenópolis. Não esperava que fosse encontrá-lo, mas ela chegou dois dias depois e eles viveram nessa gangorra, um sobe e desce de carícias e brigas num quarto de hotel da cidade goiana.

"Não se pode viver sem amor, Martim. Sem amor e sem um pouco de grana. E, pela primeira vez, eu tinha as duas coisas. Só que a Vana quer segurança máxima, a vida na bitola estreita."

Como tinha descontado o cheque?

"Um doleiro topou. Amigo da Baronesa, a Áurea dos fracos... O puto ficou com trinta por cento do cheque do teu velho."

"Mas você deixou só metade do valor."

"E a comissão do anti-herói Macunaíma?", disse o Nortista. "Ou a nossa amizade não vale nada? A amizade e o risco, cara. Naquele domingo, saí daqui e fui direto pra quadra 407. Conhecia o doleiro, os deputados da Baronesa às vezes pagavam o fumo com dólares e eu ia trocar as verdinhas na 407. O câmbio noturno, clandestino... Noite de jogatina, a roleta girava, grana alta. Roleta, mulheres, bebida... A putaria solta. Já sabia disso. O doleiro leva as putas do Posto Fiscal para o apartamento dele e convida os amigos para o jogo e a orgia. Brasília tem seus covis, cara.

A capital ferve de pecados veniais, mortais, mortíferos... Mulheres pobres que vieram de outra W3, a rua de terra de um vilarejo, lá na beira da estrada pra Sobradinho. Eu tenho que me defender, Martim. Teu pai te deu essa grana, é engenheiro. Os pais dos nossos amigos são bem colocados. Abaixo de mim, só mesmo Lázaro e a mãe dele, dona Vidinha. Mas Lázaro não se mete nisso, vive de migalhas, de empreguinhos em padarias e bares, aulas particulares. Come qualquer coisa. Vive pra alcançar o grande sonho libertário, pra representar *Prometeu* aqui mesmo, no Planalto Central. Eu não queria perder a grana do cheque. Mal entrei no apartamento e já queriam que eu dançasse com as putas, que escolhesse uma peituda, a mulher podia amamentar cem bebês. O grande bacanal da Asa Sul, cara. Garrafas com selo preto e dourado, bebida pra embriagar os redutos dos Três Poderes, todos os redutos dos lobos. Quando falei do cheque, o doleiro fez uma careta: 'Porra, trabalhar domingo?'. Insisti, supliquei, pronunciei o nome sagrado da Áurea. Ele saiu da jogatina e me levou para um quarto, viu o valor do cheque e disse: 'Galho fraco, mas quero trinta por cento dessa mixaria'. Não teve jeito, ou eu dava os trinta por cento ou não pegava nada. Aí ele abriu o cofre e me deu o dinheiro. Parecia cofre de banco, entupido de notas novinhas. A ladroagem varia em tamanho e medida, escala de um pra mil e um bilhão, e assim por diante, até o infinito. Se eu fosse ao banco, o funcionário do caixa ia desconfiar de mim e telefonar pro teu pai. E tu não querias fazer isso, por honra ou orgulho, sei lá. É preciso ter aparência em Brasília, uma boa aparência para destrancar e abrir portas. O doleiro usa roupa cara, é um cafona metido a chique, tem amigos na Câmara, no Senado, nos ministérios. É um homem respeitado. Queria que eu ficasse na festa, dei uma desculpa, tinha que pagar uma dívida. Ele me disse, rindo: 'Se você pagar uma dívida, o diabo te excomunga. A noite não foi feita pra pagar dívidas'. Saí de lá e passei na casa da Baronesa, aí a Vana me falou da viagem pra Paraúna."

"Quando o cheque foi descontado?"

"Naquela segunda-feira de manhã, Martim. Alguém saiu da festa no cassino e foi direto ao banco. O diabo age com rapidez, noite e dia."

"Rodolfo vai saber de tudo isso..."

"Tens medo do teu pai? Ou sentes culpa? Pena não pode ser, um engenheiro não ganha tão mal."

"Ele saiu da repartição pública, Nortista."

"Largou o emprego na Novacap? E o que está fazendo? Qual é o jogo do teu pai? Só me diz isso, aí eu te mostro as cartas do baralho."

Qual é o jogo do teu pai?

A pergunta do Nortista ecoa no quarto.

Não sei qual é o jogo de Rodolfo nem o que minha mãe havia escrito para ele. Essa confidência de pais separados e beligerantes me fez pensar em algum tipo de retaliação ou perseguição. Dinah não acredita nisso: "Retaliar e perseguir é o que sempre fez essa reitoria da UnB, Martim. O vice-reitor quer excluir as disciplinas de artes e filosofia do curso de arquitetura. Teu professor de linguagem estética me contou".

Era uma premonição de Dinah? Os seminários desse professor atraíam vários ouvintes, e Ângela era a mais assídua: raramente perdia uma aula, sentava-se na última fileira e escutava o professor falar de estética, do Barroco de Minas, de arquitetura brasileira. Ela quis levar Fabius a um dos seminários de linguagem estética para ele "se desintoxicar um pouco das leis e dos processos".

Fabius recusou com um tom arrogante: "Para mim, estética é interpretação das leis".

Essa frase me fez pensar na *Tribo* e nas palavras do embaixador Faisão sobre o filho.

Na última aula de outubro, quando o professor comentava dois textos breves que ele mesmo traduzira do alemão, Ângela sussurrou no meu ouvido: "Gosto desses 'Fragmentos sobre poesia e literatura', Martim! Mas o poema de Schiller é sublime! É o terceiro ano de ouvinte dessa disciplina, mas só agora começo a entender a poesia sentimental alemã".

Ela parecia hipnotizada pelos textos de filosofia e projetos de arquitetura modernista e contemporânea; já tinha lido todos os ensaios do curso e era capaz de ler plantas e cortes de projetos arquitetônicos. Mesmo assim, recusava-se a prestar vestibular: "Sou uma autodidata", dizia. "Gosto de disciplinas tão diferentes que não me sentiria bem num curso específico. Um diploma pode trair minha sensibilidade."

Em novembro, entre os feriados de Finados e da Proclamação da República, Dinah e Lázaro interromperam uma aula de linguagem estética para falar da ameaça de demissão de vários professores da UnB. Ao lado de Lázaro, Dinah parecia mais dona de si, e os dois, juntos, revelavam uma força, um ideal que faltava aos outros. Falaram por mais de dez minutos, alternando a palavra; e, desta vez, Ângela não sussurrou no meu ouvido, tal o estado de tensão, dúvida e medo que nos assaltava. Dinah não buscou meu rosto no fundo da sala subterrânea, e, quando ela e Lázaro saíram, pensei que a aula terminaria em silêncio, mas o professor indicou as leituras do seminário seguinte.

Dois dias depois, ele foi demitido, e a reitoria contratou um substituto. Não assisti às outras aulas de novembro. Ângela aparecia toda de preto no campus: distribuía a estudantes fotocópias de um poema de Schiller, e dizia que ela mesma era uma poeta do sentimento e tinha a alma de peregrina. Fabius, envergonhado, ou incapaz de entender o fascínio de Ângela pela poesia, afastava-se da namorada durante a panfletagem filosófica, e chamava-a de louca e porra-louca.

Campus da UnB, 1º de dezembro, 1972

Saí de casa antes do Nortista. O ar nevoento, espesso, borrava as formas retilíneas dos volumes brancos do setor residencial e dava uma impressão de amanhecer interrompido, noite inacabada. Tomei café no Mocambo e esperei mais de meia hora o ônibus cinzento e velho para a Asa Norte. Ainda não conhecia o novo professor de linguagem estética. "Foi escolhido a dedo pelo vice-reitor", dissera o Nortista. "Uma dessas múmias da academia dos mortos-vivos. Só fala de um arquiteto barroco. O cara ficou atolado no Barroco, não consegue sair do século XVII. Tu precisas ver a figura."

Faixas e cartazes anunciavam uma assembleia às quinze horas, estudantes entravam nas salas subterrâneas do Instituto Central de Ciências, a neblina ocultava as vigas de concreto do imenso edifício em construção; a estrutura leve da Oca parecia um esqueleto deitado, e os blocos da Colina, esbranquiçados, se distanciavam ainda mais. Numa sala do mezanino do ICC vi pela primeira vez o novo professor. Um corpo estranho: mais alto e mais magro que o Nortista, cabelo de recruta e rosto ossudo, afunilado feito um pião; um caminho de rato no cavanhaque ruivo e assimétrico mostrava manchas moradas no queixo pontudo. Falava sobre Borromini, "o maior, o mais exuberante arquiteto de todos os tempos e civilizações... Maior que os arquitetos do Taj Mahal e da mesquita de Süleymaniye". De vez em quando fazia uma pausa, lançava um olhar furtivo para uma folha de papel e citava nomes de igrejas e palácios em Roma, depois falava com desprezo de Bernini e citava mais igrejas e palácios. Uma leva de estudantes saiu da sala, e um deles berrou: "Até nunca mais, Borromini!".

Agora éramos oito na sala, ou nove, se eu incluísse os cachos castanhos de uma cabeça apoiada na parede dos fundos.

Numa das pausas, um estudante pediu ao professor que comentasse a visão do sublime na estética de Kant. Borromini ignorou o pedido. "E o pensamento estético de Schiller, Schlegel e Hegel?", insistiu o mesmo estudante. "Essa é a sua sétima aula e nenhum filósofo alemão foi citado." Outro estudante pediu para continuarmos os seminários sobre os ensaios de Argan e Tafuri, ou retomarmos a discussão sobre a arte barroca em Minas Gerais. Todos os pedidos e perguntas desprezados. Mais uma igreja e um palácio projetados por Borromini, as linhas ondulantes do Barroco, as formas côncavas e convexas da capela da igreja de San Carlo, a sutileza do claro-escuro... Quando os demais estudantes saíram, a neblina cobriu o vão da porta e penetrou um pouco na sala. Parecia uma massa de ar pegajosa e suja na manhã mais nevoenta da minha vida em Brasília. Vi na última fileira o rosto da moça dormindo, os olhos pestanudos e fechados me olhavam lá de dentro e me perguntavam o que é um poema numa tarde que já era noite. A voz falava da vida do arquiteto barroco, e a última palavra do novo professor foi "suicídio".

24.

Paris, inverno, 1979

Damiano Acante colocou uma pilha de jornais num canto do estúdio. Folheei um exemplar e li os títulos de um artigo e de uma reportagem: "Frei Tito Alencar, mártir e camarada de Deus" e "El Salvador: massacre em Morazán", ambos sem assinatura. Li dois poemas panfletários, assinados com as iniciais G. M. e S. H., e um poema em prosa de A. S.

"Os jornais foram impressos em Turim", disse Damiano. "Você se lembra de Jaime Dobles? Aquela noite na Encontro... Jaime trabalha na embaixada de Cuba e ajuda os membros do Círculo Latino-Americano de Resistência. Eles editam esse jornal e um boletim de notícias. Eu escrevi o artigo sobre frei Tito. A reportagem sobre Morazán foi escrita por Justina Anaya, uma amiga salvadorenha. Um dia a gente vai tomar um café com o pessoal do Círculo."

Larguei as folhas finas, que ainda cheiravam a tinta. Jaime Dobles, a noite do filme cubano na Encontro, a sessão cancelada. Dois dedos-duros na plateia, o esporro que levei de Jorge Alegre...

"Vamos distribuir os jornais em Paris e na grande *banlieue*, Martim. Você pode pedir dois francos por exemplar. Ou qualquer valor, uma moedinha... O dinheiro vai ser doado para a Associação França-América Latina."

"Julião e Anita se interessaram pela peça que você está escrevendo. Já conversou com eles?"

"Teus amigos de São Paulo? São bons atores, mas Julião ainda não se sente seguro para encenar em francês. Dá umas derrapadas nos tempos verbais e gagueja um pouco. Talvez isso seja interessante para uma personagem expatriada ou exilada. Ele ainda está com a cabeça no Brasil. Bem ou mal, todos nós estamos, mas o Julião só fala no Circo Paulistano, na Vila Madalena, nos amigos de uma escola de samba... Ele pode voltar ao Brasil quando quiser. Anita não fala disso, ela se adaptou a Paris, tem amigos franceses e quer encenar. Parece que os dois entraram numa trupe circense, Les Oiseaux Fous. Você recebeu alguma...? Alguém te escreveu?"

"O Nortista e minha avó", eu disse, apontando os envelopes sobre a mesinha. "Por que você não escreve para o Nortista? Está chateado com ele?"

Damiano ficou olhando os selos brasileiros colados nos envelopes, depois tocou com o indicador as pétalas duras de uma flor vermelha sobre a máquina de escrever.

"Essa flor do cerrado exala um perfume torpe", ele disse, com um sorriso de lembrança. "Mas envelheceu e não cheira a mais nada."

Viu na parede as fotos da minha mãe e Dinah, uma ao lado da outra.

Saiu sem olhar para mim, escondendo a tristeza.

25.

Apartamento do embaixador Faisão, Brasília, domingo, 3 de dezembro, 1972, 23h40

Imagino a mão de Lina escrevendo a última carta, de 22 de junho deste ano: a mão que já não escreve para mim, que se recusa a escrever ou foi proibida de escrever.

Dinah ainda não sabe o que aconteceu na noite deste domingo. Minha mãe, incomunicável, talvez nunca saberá...

Almoçamos pela primeira vez no Roma; o Nortista pediu vinho branco italiano, os vizinhos da mesa direita nos espreitavam, desconfiados.

"A Baronesa não me convidou para o almoço", lamentou o Nortista. "O clima não está nada bom por lá. Mais seco que o ar de Brasília. E Vana não quer matar minha sede de amor. Ela escapuliu cedo... ou não quis atender o telefone, mas deve ir pro show de rock no Maconhão. Vou encontrar essa fugitiva."

De noitinha fui com ele ao Maconhão; bebemos e dançamos até as dez, quando o Nortista desistiu de procurar a fugitiva. Na volta para casa, vários sonhos dançavam na cabeça dele. "Viver por um tempo sem aporrinhação, Martim. Ensaiar, ler peças de teatro, livros de história e literatura... Sem essa de aulinhas particulares de matemática e português. Em 67 trabalhei na pastelaria da rodoviária. O ano todo. Saía do Centro de Ensino Médio e ia fritar e vender pastéis. Das cinco e meia da tarde às onze da noite. Parecia que todos os trabalhadores noturnos de Brasília e das cidades-satélites enchiam a pança de pastéis. Policiais, balconistas, operários, funcionários públicos, motoristas, empregadas domésticas... Estudantes também. Centenas de pastéis. Antes de fechar a pastelaria, os mendigos se juntavam em frente ao balcão, parecia uma assembleia de maltrapilhos. Não faziam fila, a fome cria desordem e agitação. Eu juntava os restos do recheio e dava pra eles, meu colega de trabalho não distribuía pastéis, tinha medo do patrão, dizia que tudo era contado. Eu e ele podíamos comer três pastéis por noite, a ração do jantar. O cheiro de fritura me perseguia. Chegava em casa, tomava banho, estudava até as duas da manhã. Quando ia dormir, o cheiro de gordura entrava no meu nariz, e aí os pastéis apareciam na noite, flutuavam no espaço do quarto e eu ouvia a gritaria dos famintos: 'Queijo, carne, palmito...'. Depois escutava a ladainha dos mendigos: 'Deus lhe pague, moço', 'Fique com Deus, moço'... Meu colega, o Palito, ria dos mendigos. Um fodido rindo dos miseráveis. Eu perguntava: 'Qual é a tua, Palito?'. Ele dizia que essa gente preguiçosa não queria trampar, não merecia nem os restos. O cara odiava os mendigos, Martim. A miséria da capital tava lá, na porra da pastelaria. O dinheirinho contado dos peões de obra pagava dois pastéis, eu ainda colocava um pouco de carne moída num guardanapo e dava pra eles. Gostava de ver o rosto trombudo do Palito, o mesquinho mal falava comigo quando meu coração amolecia de tanto ver essa miséria. O salário dava pra pagar o aluguel do quarto e almoçar no Palácio da Fome. De vez em quando Dinah espichava um dinheirinho, e eu ia levando. Também ganhei uns trocados quando trabalhei na peça *Huis clos*; naquele ano a gente ia encenar *Um bonde chamado desejo*, mas foi censurada. Vana não queria que eu recebesse grana da Dinah. Tudo bem, mas o que eu vou fazer? Aí Vana me disse que eu podia vender quadros e ganhar uma comissão. Telas de um pintor de Manaus, amigo da Baronesa. Nos fins de semana eu ia vender as telas na praça Vinte e Um de Abril, nas igrejas, na galeria do Hotel Nacional, na rodoviária; Jorge Alegre comprou umas cinco, só de camaradagem. Não sei se vendeu alguma na Encontro. Quando eu disse pra Baronesa que minha mãe fazia doce de cupuaçu, ela deu a ideia de trazer fumo nas latas de leite em pó. Um sobrinho de Manaus podia fazer isso, era só encher as latas com doce, o coronel Zanda não ia desconfiar. Uma mulher cheia de ideias, cara. 'A ideia é o que vale', ela dizia. A ervinha pé de moleque no fundo de uma latona azul, com o desenho de uma vaca malhada num pasto da Holanda. O leite em pó mágico viajava de Rotterdam a Manaus, depois as latas da Baronesa embarcavam pra Brasília no colo do coronel em voos da FAB. Ele trazia também peixe seco, tartarugas vivas, farinha-d'água e dúzias de latas de capellini. Um anjo verde, o coronel Zanda... Isso começou em 68. Áurea pegava o grosso da grana. Diz que pagava o sobrinho e ainda arranjava os fregueses bacanas, por isso garfava o cacau. Eu comia o doce da mamãe e vendia um pacotinho pro pessoal da Oca e pra Ângela, que puxa fumo dia e noite. Agora a Baronesa não quer mais saber das latas holandesas. Ficou emburrada porque embolsei o dinheiro daqueles dois deputados. Será que foi só por isso?"

Andávamos na noite da Asa Sul, o Nortista já não ruminava sonhos; parou no gramado da Escola Parque, ficou de olho na sala do apartamento da Áurea, depois seguiu a passos lentos, como se não quisesse voltar para o quarto. "Essa iluminação fraca da W3 atrai fantasmas. É mais triste que circo de vilarejo em noite sem espetáculo. Por falar nisso, o que a gente vai estudar nesta noite? Ou tu preferes reler trechos daquele romance?"

O Cine Cultura fechava as portas, só as luzes do Roma iluminavam um trecho da W3. No outro lado da avenida, Dinho fumava na calçada.

"Nosso senhorio está tomando banho de lua ou pensando no amor da Graça? Mas a lua se escondeu, não tem conhaque nem aquela comoção do diabo. Por que o baiano tá tão nervoso?"

"A gente ainda não pagou o aluguel de novembro."

"Não é isso, Martim. Já atrasei mil vezes o pagamento. Ele está andando em círculo na calçada, dá umas tragadas de dragão e enche a boca de brasa. Será paixão, alguma desgraça? Não é hora de Vênus no céu. E não vejo a pedicure na porta da casa. Acho que não é noite pra amantes nem pra meditação amorosa. Vamos atravessar?"

Dinho jogou o cigarro na calçada, deu um pontapé na guimba acesa e gritou para o Nortista:

"Dois policiais invadiram minha casa, vasculharam a sala e os quartos, bagunçaram tudo. Queriam prender vocês. Não quero confusão com a minha família. Saiam hoje mesmo daqui."

"Hoje? São quase onze horas."

O Nortista e Dinho batiam boca na calçada e eu corri para o quarto. Colchões revirados, livros e roupa no chão, as cartas de Lina, rasgadas. Não levaram o dinheiro: as notas, enroladas, estavam escondidas nos furos dos tijolos da estante. Juntei minhas coisas, joguei tudo na mala e chamei o Nortista. Enquanto ele arrumava os livros e a roupa em caixas de papelão, telefonei para o Fabius e pedi para dormir uns dias na casa dele. "Passo por aí daqui a pouco", ele disse.

O Nortista não teve a mesma sorte: ouvi meu amigo dizer à Baronesa que a situação era grave, ele tinha que sair da casa da W3. Antes de desligar, engrossou: "Parasita, Áurea? Atores não são parasitas, tu estás te borrando de medo, isso sim".

Pusemos os colchões, malas e caixas na Kombi de Fabius, e paguei o aluguel para o Dinho; ele nem conferiu o dinheiro, parecia mais assustado que nós. Graça e os filhos não apareceram.

"Você também vai dormir no apartamento dos meus pais?", Fabius perguntou ao Nortista. "O Martim não me avisou..."

"Vou dormir na saleta da *Tribo*. Me sinto em casa na saleta alugada pelo embaixador. A Baronesa me sacaneou."

Fabius destrancou a porta do térreo e disse que eu não precisava levar o colchão, o abajur e a escrivaninha para a casa dele. Carregamos tudo para a saleta no primeiro andar da Super Comfort. Cheiro de papel, tinta e cinza de cigarro. Um objeto côncavo, semelhante a uma cuia marrom, movia-se com lentidão sobre um exemplar da *Tribo*. O Nortista deu um salto e caiu com os dois pés na cuia: uma chuva de baratas se espalhou pela saleta, Fabius correu até a porta e, do lado de fora, ficou observando o Nortista esmagar os insetos, rindo. Eu tentava acertar as voadoras que resvalavam no nosso corpo e se chocavam contra a parede; abri a janela para dissipar o cheiro de barata e tinta, o Nortista não ria mais, o rosto dele, abatido, mirava os tacos sujos, empastados de asas, antenas e gosma.

Fabius, na soleira da porta, perguntou: "Por que foram atrás de vocês? O fumo...".

"Não sei se foi o fumo", disse o Nortista, olhando para mim.

No outro lado da W3, à esquerda, a casa de Dinho e Graça no escuro; a placa luminosa da Super Comfort piscava embaixo da sala e emitia sons de besouro.

"Aqui não tem fogão, geladeira, filtro, telefone... No banheirinho só tem uma privada e uma pia. Onde você vai tomar banho?"

"Isso é o de menos, Fabius. Diz pra Vana que eu vou dormir com as baratas e beber água da torneira. Água suja de Brasília. Pode dizer também que a tia dela é uma filha duma égua."

Escritório do embaixador Faisão, segunda-feira, 4 de dezembro, 1972

"Quantos fantasmas de Minas apareceram no escritório do velho?"

"Nenhum fantasma, Fabius."

"Inventei uma história, Martim. Disse aos meus pais que os donos da casa onde vocês moravam tinham brigado feio e não queriam mais inquilinos."

"Eles acreditaram?"

"Meu pai não acredita em mais nada. Minha mãe finge que acredita em tudo."

Ele ia fazer uma prova final de direito civil, queria chegar cedo ao campus, mas não teve tempo de evitar o encontro com o pai.

"Quero dar um depoimento", disse Faisão, abotoando o casaco do pijama. "Uma mensagem aos poetas do mundo... Liga o gravador e me filma com a super-8."

Fabius andou até a porta da sala: "Você já deu um depoimento, não lembra?".

"O que você está lendo? Que tipo de advogado vai ser?"

Fez outras perguntas ao filho ausente e disse que usava o pijama dos aposentados mas que continuava na ativa. Tomou uma xícara de café e saiu apressado da copa, como se tivesse um encontro urgente. Uns minutos depois, eu o vi na sala, lendo um dos livros de poesia que me emprestara.

Passei o dia no escritório de Faisão, meu teto provisório. Durante o almoço, fui bem tratado pela mulher do embaixador. Discreta, nenhuma pergunta; espreitava cada gesto do marido e, quando ele falava, ela espremia os lábios, pronta para silenciá-lo. Faisão começou a contar um episódio que presenciara numa igreja de São João del-Rei: a missa tinha terminado, o padre guardava o cálice e as hóstias quando uma prostituta e um travesti entraram na igreja e se ajoelharam.

"Os fiéis foram embora, ficaram apenas o padre, a puta, o travesti. Eu fiquei para escutar..."

"Você já não contou essa história?", disse a embaixatriz.

"Para o nosso hóspede paulista? Já contei a confissão da puta e do travesti ao padre, jovem?"

"Conte essa blasfêmia longe de mim", pediu a mulher.

Antes do jantar, ela me deu uma toalha e um sabonete: eu me sentiria mais à vontade no banheiro da empregada.

Quando saí do banheiro, dona Vidinha cortava couve em tiras finas. Sei que ela trabalha das sete da manhã até o fim do jantar, e folga aos domingos, quando vai à missa e passa o dia com Lázaro, ou com ele e Dinah.

Ela pôs na frigideira dois dentes de alho:

"Agora é hóspede do dr. Faisão e da senhora dele? Gente boa, o embaixador e a mulher. Ontem Dinah dormiu em casa. Como essa menina trabalha... Dorme pouco e trabalha muito. Fabius não aparece mais lá. Nem você. É medo de Ceilândia?"

Terça-feira, 5 de dezembro, 1972, 1h20

Colei os pedaços das cartas da minha mãe; juntar palavras e frases rasgadas e recompor cada página é como armar um quebra-cabeça. Reli uma carta remendada, pensei na mão que a escrevera e odiei as mãos que a tinham rasgado. Ordenei as cartas numa sequência temporal e notei a falta da última, a carta datilografada que eu copiara num caderno. Vasculhei minha maleta, abri cadernos de anotações e livros, só encontrei uma fotografia de Lina, guardada nas páginas do volume *Paranoia*.

Uma carta e uma fotografia perdidas. Ou roubadas.

Tive um péssimo pressentimento...

Terça-feira

Pensava em coisas ruins, e mal dormi.

Fiz hora até o embaixador terminar o café da manhã e voltar ao quarto; liguei para a Encontro e disse a Jorge Alegre que estava com febre.

"Há uma epidemia em Brasília, Martim. Os sapos invadiram a cidade. Hoje só o Jairo veio trabalhar. Você pode vir amanhã?"

Meio-dia e quinze. Telefonema de Dinah: que eu passasse no apartamento dela.

"O Nortista me contou tudo. A carta da Lina pro teu pai, o cheque, a invasão da casa... Será que o Rodolfo não armou essa invasão? Ele foi pressionado por duas mulheres: tua mãe e a outra, tua madrasta. Lina leu as porra-louquices da *Tribo* e deve ter falado disso na carta. Por que você está duvidando? Tem muito capanga e policial que faz qualquer coisa, basta pagar."

"Ele não mandaria a polícia invadir a casa da W3."

"Nem pra te dar um susto?"

"Susto? Rasgaram as cartas de Lina, roubaram uma fotografia dela e a última carta. Por que Rodolfo ia fazer isso?"

"Ele quer mudar tua vida. Já conseguiu que mudasse de casa e se afastasse do Nortista. Onde você vai morar?"

"Talvez na Oca."

"O vice-reitor vai fechar o alojamento, Martim. Vários professores foram demitidos e três institutos querem paralisar as aulas. Minha mãe acha que tudo vai de mal a pior: a política, a repressão, a UnB. Ela quer voltar pra São Paulo antes de julho do próximo ano, mas meu pai está animado com o trabalho no ministério. Eu também quero voltar pra São Paulo."

Indaguei com o olhar e com o pensamento se ela me incluía nessa viagem de volta a São Paulo; depois perguntei com palavras. "Não sei, Martim. E nem é importante saber.

Estou pensando no que pode acontecer hoje. O pessoal da *Tribo* vai se encontrar no bandejão. Não é preciso ficar escondido na casa do embaixador. Se você se acovardar, o medo cresce."

Descemos do ônibus na L2; observei a fachada encardida do Centro de Ensino Médio, me lembrei da primeira aula de artes cênicas numa sexta-feira e do primeiro encontro com Dinah no laboratório fotográfico. O capim ressequido cercava o pátio interno, cheio de torrões; a porta da entrada, trancada; cadeiras, lousas e mesas, amontoadas nos corredores. "A escola vai virar ruínas", eu disse, tentando disfarçar minha amargura. "Já é ruínas", afirmou Dinah, andando para o campus.

Nossos amigos almoçavam no Palácio da Fome; na mesa ao lado, Lázaro comia sozinho e olhava um livro aberto.

"O hóspede do diplomata saiu da toca?", perguntou o Nortista.

"Martim não queria vir para cá."

"E com razão, Dinah", disse Vana. "O lar de um embaixador é mais seguro que o campus."

"Um manicômio é um lugar seguro?"

Fabius jogou a faca na mesa e encarou Ângela.

"Você devia sair da tua casa, cara. E sem demora."

A mão do Fabius tapou e empurrou a boca da Ângela, o braço dela bateu na bandeja de aço, um caldo ralo e marrom escorreu na mesa.

Ela levantou e pegou a bandeja: "Caia fora daquele apartamento, antes que seja tarde demais. Não é por causa do teu pai, um pobre homem".

Dinah e Ângela saíram juntas e ficaram conversando lá fora; Dinah negava com a cabeça e passava as mãos no cabelo; de repente ela se afastou do restaurante e Ângela ficou de olho na nossa mesa, o rosto perto da vidraça com manchas de cola e pedaços de cartazes.

"Ângela me contou coisas estranhas", disse Fabius. "Sonhou com um cilindro de luz no centro da nossa galáxia. Ela e o pai dormiam em paz dentro desse cilindro. Não é só o meu velho que anda meio pancada. Pior é o pai de Ângela. Detesta a *Tribo*, não quer que a filha participe da revista. Uma assessora do senador me telefonou pra dizer isso. Eu disse que Ângela era livre para decidir se queria participar da *Tribo*. Depois chamei o pai dela de safado. A mulher disse que eu não devia falar isso de um senador da República, e eu desliguei."

Lázaro sentou na minha frente e perguntou se a conversa era secreta.

"Não é secreta", disse Fabius, "mas você sempre criticou a *Tribo*."

"Perdemos nossos melhores professores", disse Lázaro, "os líderes do movimento estudantil estão sendo caçados, o Geólogo teve de fugir... A revista devia se posicionar sobre essas questões, devia ser mais crítica."

"No último número saiu um texto sobre um militar", disse o Nortista.

Lázaro sorriu com ironia: "A conversa de um menino com um general a três mil metros de altura? Os dois de paraquedas, falando sobre a velhice?".

"Falando sobre a morte e a infância no centro da América do Sul", corrigiu o Nortista. "Seis ou sete minutos no espaço, o tempo de uma memória enlouquecida... A vida de trás pra frente, Lázaro. A velhice do general quatro estrelas, a juventude na escola militar, até tocar o chão da infância. É uma fábula de um infante, uma viagem à semente. Lembranças do menino que ainda não sabe que vai ser um cadete, muito menos esse sanguinário. O menino é o próprio general, cara. Tu não percebeste..."

"Essa alegoria é uma autocensura", interrompeu Lázaro. "O jogo de vida e morte é outro. A UnB está morrendo, a escola onde vocês estudaram foi fechada. A *Tribo* não publicou nada sobre isso. Esse monólogo interior do general é um jogo com as palavras."

"Jogo com as palavras, o cacete", protestou o Nortista. "É um texto cômico e político, Lázaro."

"E o que você sugere?"

"Não é um bom momento para o cômico nem para o alegórico", disse Lázaro, ignorando a pergunta de Fabius. "E não tem nada mais fácil que o trocadilho."

Só a face esquerda de Ângela era visível, o olho mirava alguém na mesa, com ódio.

"Segunda-feira, às quatro e meia", avisou Fabius. "No palácio do Nortista."

"Por que tu não vais à reunião?", Vana perguntou a Lázaro. "Leva a Dinah contigo."

Lázaro pegou o livro na mesa ao lado, não pude ver a capa.

"Você e o Fabius censuraram nosso artigo sobre a história da UnB. Vou escrever o obituário da *Tribo*."

"Um obituário crítico-poético", desdenhou o Nortista. "E com um pouco de humor."

O olho de Ângela havia sumido, um homem nos espreitava do lado de fora. Baixo e forte, as mãos espalmadas no vidro sujo.

"Quem é aquele cara?", perguntou o Nortista.

Fabius e Vana viraram o rosto para a vidraça das janelas.

"Não dá pra saber", disse Vana. "Um veterano de algum instituto... Ou um professor."

"Ou um dos duzentos dedos-duros da UnB", disse Fabius.

"Ele não estava no auditório naquela noite do filme cubano?", perguntei ao Nortista.

"Qual filme?", quis saber Fabius.

Os olhinhos de Vana fixaram o Nortista: "Quando foi essa noite? Onde?".

Quarta-feira, 6 de dezembro, 1972

A mulher de Faisão, sentada na banqueta do piano, enxugou o rosto com um lenço; deu bom-dia com voz fraca, o rosto um pouco inchado mirava na parede a pintura de um rosto jovem que a contemplava; parecia segredar com a tela emoldurada, retrato de outro tempo. Minha presença não a incomodava, eu é que não participava dessa conversa silenciosa entre o passado e esta manhã. O som do rádio veio da área de serviço, dona Vidinha cantarolou, Fabius abriu a porta da sala e Faisão deu uns passos arrastados; calçava sandálias de couro e vestia um pijama de seda cinzento. Nenhum dos dois falou comigo. Fabius e sua mãe foram cochichar perto da estante, o embaixador sentou na banqueta e ficou olhando o teclado. O rosto, miserável. De repente ele disse: "A cabeça do padeiro é a cabeça do Brasil. Ninguém pode proibir um diplomata de atravessar o oceano".

"Você está de licença médica", advertiu a mulher. "Não vai atravessar nada. Não pode sair do Brasil."

Eu pensava na primeira frase do embaixador: "A cabeça do padeiro é a cabeça do Brasil". Que diabo é isso? Faisão não revela tudo. Os mineiros falam apagando as palavras, deixando reticências. A mulher conduziu Faisão para o quarto, Fabius foi à UnB, matei a aula do novo professor de linguagem estética e fui ler no escritório.

Mais tarde vi o embaixador na sala: ouvia apenas uma faixa de um disco e punha outro; reparei nas capas dos discos sobre o sofá: Pixinguinha, música flamenca, Mozart, Villa-Lobos. Escutei sons estranhos, que me deixaram curioso. Ele mostrou um disco de Pierre Boulez e foi até o piano. Agora sei que ele, e não a mulher, é pianista. Sentou na banqueta, tocou acordes de um chorinho, abriu as mãos no ar e deixou cair os braços.

Barulho de notas graves e agudas.

Os braços e a cabeça apoiados no teclado, uma vibração de sons que não pareciam em desarmonia.

No escritório, vi a foto do jovem Faisão, de pé, lendo o "Discurso na Academia São Vicente de Paulo — Escola Apostólica do Caraça"; em outra foto, o rosto do estudante olha com gravidade a lente da câmera, e a mão direita roça a cabeça de um lobo-guará. Numa fotografia pequena, a torre de uma igreja no céu cinza sugere o silêncio austero do internato entre as serras de Minas.

Livraria Encontro, tarde de quarta-feira

"Celeste pediu as contas", disse Jairo. "Ontem dois bandidos assaltaram a livraria. Ela deu uma de valentona, disse que uma livraria não devia ser assaltada e levou uma bofetada. Depois não parou de rezar. Levaram o dinheiro e os cheques. Um bandido quis saber onde estava o dono da livraria, e eu disse: 'Viajando'. Jorge estava num sítio em Águas Claras. Acho que o Jorge quer falar com você."

Os livros do porão estavam empacotados, o labirinto de colunas de papel, desfeito, e a parede em frente à mesa, sem os cartazes de filmes; a fotografia da Alfama era a única imagem no porão. Jorge apertava com muita força as mãos entrelaçadas, que pareciam inchar.

"O Martim não estava doente. Por que mentiu? Sei que a casa da W3 foi invadida na noite de domingo. Os policiais voltaram lá? Não sabe? E nem se interessou em saber como eram os policiais? Você e o Lélio são confiantes demais. A livraria foi assaltada por dois sujeitos."

As mãos avermelhadas tremiam.

"Amanhã vou fazer mudanças na Encontro. Você não precisa vir."

Noite de quarta-feira

"Meus pais não vão jantar", disse Fabius. "Hoje cedo minha mãe me pediu pra ir atrás de Faisão. Andei pelo setor comercial e encontrei ele e a dona Vidinha na padaria Nova Alvorada. Um balconista disse que o homem de pijama estava com a língua leve e solta. E estava mesmo. Faisão dizia que o Médici nunca tinha ouvido falar de Caravaggio. 'Um general tão cristão, e desconhece as pinturas da igreja de San Luigi.' O dono da Nova Alvorada perguntou se esse Caravaggio era um político ou um militar. Meu pai deu aquele sorriso confidencial, de quem guarda um segredo de Estado. Aí ele berrou pro padeiro: 'Caravaggio foi um gênio italiano'. Depois disse em latim uma frase que aprendi no curso de direito: '*Quousque tandem abutere, Catilina, patientia nostra?*'. Quando a gente voltava pra cá, ele não parou de repetir: 'A cabeça do padeiro é a cabeça do Brasil'."

"Ele tomou o medicamento?"

"Não. E, quando não toma, a noite é desastrosa, ele dorme pouco e acorda furioso. Mas meu pai não é um homem furioso, Martim. Nunca foi."

7 de dezembro, 1972

Hoje, quinta-feira, Jairo confirmou por telefone: eu não precisava ir à Encontro, ele e Jorge Alegre estavam fazendo grandes mudanças.

Dona Vidinha serviu o almoço mais cedo: Fabius e a patroa não iam comer em casa.

"Saborear na solidão a comida mineira", disse Faisão em voz baixa, como se se dirigisse a si mesmo. "Melhor que isso, só mesmo viajar sem saber o destino."

Quando levantei para ir comer na copa, ele protestou: "Por que não almoça comigo? Vai me deixar só?".

"O embaixador diz cada coisa!", murmurou a mãe de Lázaro. "Mas a gente se acostuma com o jeito dele."

Sentei de frente para o homem e me servi das iguarias mineiras: frango com quiabo, canjiquinha e costelinha de porco, couve rasgada refogada com alho, toucinho frito. Comia com gana, de vez em quando Faisão me olhava, ajeitava o nó da gravata e dava uma garfada, mastigando com ar meditativo e triste. Será que ele pensava em alguma viagem, cujo destino desconhecia? Qual seria o destino de

Lina, depois das viagens por Minas? Que caminhos iria percorrer, nessa vida errante que me excluía? De repente Faisão perguntou o que eu sabia sobre a África Ocidental. Como eu não disse nada, continuou: "E os ibos, da Nigéria? Os kuvales, de Angola? O reino de Benguela? O que você sabe sobre a Revolta dos Malês na Bahia?".

Mãos escuras retiraram a baixela e os talheres de prata e os dois pratos de porcelana portuguesa; depois colocaram sobre a mesa potes com pedaços de mamão verde e figos em calda, doce de leite, e uma travessa com queijo de minas e goiabada. Não pude desviar o olhar do rosto suado, o rosto de sessenta e poucos anos, que envelhecia com sofrimento.

"Pelo menos leu os livros de poesia? Parece que sim. As páginas estão rabiscadas a lápis. É um bom sinal. Meu filho edita essa *Tribo*, uma revista de artes e literatura... e o que ele lê? Livros de direito trabalhista, de processo civil e penal. Esse Código Civil não serve para nada, devia ser rasgado. E Ângela, a namorada dele? O que essa moça esotérica lê? De Quincey? Rimbaud? Novalis? Duvido."

Cortei um pedaço da "legítima goiabada de Minas Gerais", me servi de queijo, doce de leite, pedaços de mamão verde em calda.

"O pai dessa miss Vale do Amanhecer preside a Comissão de Relações Exteriores e me negou uma audiência. O ministro também me negou uma audiência. Ouvi dizer que vão me confinar no Departamento de Arquivo. Não aceito isso. Uma pessoa banida recusa a impostura."

Dona Vidinha trouxe um bule de estanho e duas xícaras de porcelana; antes de servir o café, pôs suco de abacaxi no copo de Faisão e abriu um guardanapo de pano: "Vamos tomar o remedinho, doutor?".

Ele observou a cápsula: um torpedo em miniatura, branco, sem brilho.

"Hoje sonhei que saía do meu corpo. Eu com a minha consciência... Era um homem invisível, ninguém me viu nos corredores e salas do Itamaraty. Escutei o que falavam... e sabe o que falavam? Que eu deveria ser um escriba, ou nem isso: um revisor de telegramas, cartas, relatórios. Nenhum documento confidencial, porque não confiam em mim. Vi inimigos ferrenhos, vi falsos amigos que me invejam porque chefiei uma difícil missão de paz na África e fui bem-sucedido, fiz contatos com presidentes de câmaras de comércio europeias e trouxe divisas para o meu país, divulguei nossa cultura e organizei uma mostra do Cinema Novo em Paris. Vários artigos na imprensa francesa... *Le Monde, Cahiers du Cinéma, Figaro, Nouvel Observateur*... Não foi apenas um *succès d'estime*, foi também um sucesso de público. Eu mesmo escrevi um artigo sobre a recepção do Cinema Novo na França. Mas não é só por isso que sou perseguido em sonhos e na minha insônia. Não me curvo a todas as orientações do Itamaraty, não bajulo esse Médici nem os ministros dele. Esses militares e civis são espectros sombrios da nossa velha tragicomédia. Foi isso que murmurou minha consciência quando eu contemplava as carpas no espelho d'água do Palácio dos Arcos. Os peixes vão morrer no espelho seco, nós todos vamos morrer com sede de liberdade. Quando amanheceu, eu e a minha consciência saímos do Palácio e voltamos ao meu corpo, este corpo seco nesta cidade em que tudo é seco: o clima, a cultura, a vida. Você se lembra dos versos que a gente traduziu outro dia? É preciso usar a razão na tempestade, jovem. Resistir com a força da razão, ver o mundo como uma coisa da mente, escutar os gritos de um pássaro e descobrir uma nova realidade. Eu e a minha consciência... Você, o peixe, cada ser com a sua consciência. A água podre, estagnada, não pode calar a cachoeira. Será que você me entende?"

"Agora o remedinho, embaixador", disse a voz mineira. "O senhor prefere tomar com água?"

A mão aberta recebeu a cápsula branca.

Madrugada de sexta-feira, 8 de dezembro, 1972

Não sinto medo todos os dias.

Sexta-feira

Passei a manhã na Biblioteca Central; quando andava para o Palácio da Fome, Vana e o Nortista desceram do balcão da Oca e me acompanharam.

"Acabo de fechar o último negócio da empresa Áurea Verde, Ervas e Sonhos", disse o Nortista. "Morar na Oca? Não, Martim. Vou alugar um quarto na Asa Norte, mas só daqui a um tempo. Durmo bem na saleta da Super Comfort. Já me acostumei com banhos de pia, baratas e o barulho dos carros que param para pegar putas na W3. São as vantagens do meu palácio."

Ele e Vana mal se falaram durante o almoço; Vana afastou a bandeja: não conseguia engolir essa boia nojenta. Saiu sem dar tchau e se juntou aos estudantes e professores que iam participar da assembleia na quadra. O Nortista pegou a banana da bandeja da Vana e enfiou-a no bolso.

"Vana é uma órfã melindrosa, Martim. Foi criada pela Áurea e finge acreditar nas mentiras da tia. Aquela história da Baronesa... neta ou bisneta de um amazonense com uma filha de norte-americanos que migraram pra Santarém... tudo cascalho, cara. Conheci descendentes desses imigrantes. Ellen Lafontaine, minha professora de inglês no Ginásio Amazonense. Essa, sim, era neta de americanos degredados. Zé Carlos Hightower, meu colega de sala no ginasial, era bisneto de uma família protestante, do Sul dos Estados Unidos, os derrotados na Guerra Civil. O avô dele fundou uma igreja batista em Manaus. A Baronesa tira vantagens dessas fantasias, bajula políticos e militares, dá presentes caros pra todos eles, e ainda agrada meus conterrâneos de uma república da Asa Norte. Ela fez a cabeça da Vana. Deve ter dito: Lélio quer ser ator, e isso não dá em nada. De uns tempos pra cá, Vana anda falando essas coisas. E virou santa... uma santa raivosa, só porque vendi o restinho do fumo para um cara da Oca. Ela não gostou. Quer que eu leve a sério os estudos de arquitetura. Veio com uma história de descolar um trabalho pra mim. A Baronesa poderia resolver isso num piscar de olhos. Quer que eu viva e morra que nem um burocrata de merda. Hoje, lá na Oca, Vana me disse que se arrependeu de ter publicado meus textos na *Tribo*. Nem ela nem Lázaro tem humor, mas Lázaro não se borra de medo, ele desafia a morte todas as noites, a polícia do GDF senta o sarrafo nos pobres de Ceilândia e das outras cidades-satélites. Dinah me disse que Lázaro recebe bilhetes com ameaças desde a encenação de *Prometeu acorrentado*. Por enquanto, dona Vidinha e o filho têm a proteção do embaixador Faisão. Olha o Lázaro ali na quadra de esportes. Agora ele vai falar na assembleia, é o primeiro orador. Dinah deve estar bem pertinho dele."

O Nortista ficou no Palácio da Fome; olhava a bandeja cheia de comida fria, rejeitada por Vana; talvez pensasse no trabalho oferecido pela Baronesa, um empreguinho estável que ia enterrar de vez a carreira de ator. No centro da quadra, Dinah, Fabius e Ângela ouviam Lázaro argumentar a favor da ocupação da reitoria e exigir a volta dos professores demitidos. "Não temos outra opção", ele disse, olhando para o alto. Damiano pediu a palavra, Lázaro o ignorou e tornou a olhar para o céu, como se enxergasse alguma coisa que ninguém via, ou escutasse sons no meio de uma multidão surda. Damiano pegou o megafone e disse que todas as representações estudantis estavam proibidas desde 1969, não haveria eleições para a presidência da Federação dos Estudantes Universitários, era mais sensato dialogar com o vice-reitor, em vez de tomar uma decisão radical.

Damiano parou de falar. Um ruído intermitente e fraco vinha de algum lugar, como o zumbido de um inseto no outro lado de uma porta fechada; o volume do zumbido aumentou, e em poucos segundos o helicóptero preto surgiu e deu várias voltas sobre a quadra de esportes, a uma altura tão baixa que era possível ver ao lado do piloto um homem tirando fotos. O helicóptero voou inclinado em direção ao lago Paranoá, o barulho da máquina diminuiu aos poucos, como o clamor de uma multidão que se distancia. E de repente, a vaia. Damiano desceu da mesa, se juntou a um grupo de professores, alguém gritou: "Covarde", e outra voz: "Traidor". Os dois oradores seguintes alternaram a defesa dos argumentos de Lázaro e Damiano.

"Se a reitoria for invadida, vou perder os créditos da disciplina do Borromini", eu disse.

"Com esses novos professores, a UnB vai perder tudo", afirmou Dinah. "O vice-reitor vai demitir outros professores antes do Natal. Muita gente viaja no fim do ano. Ele quer esvaziar o movimento."

A assembleia continuaria até o anoitecer, mas eu tinha que ir à Encontro; Dinah ficaria em Brasília neste fim de semana, ela me telefonaria domingo. Um grupo de estudantes exaltados discutia sobre Damiano e Lázaro: um deles dizia que Damiano não era traidor nem covarde, e o mais sensato neste momento era dialogar com a reitoria, a radicalização seria pior. Dinah entrou na conversa e defendeu Lázaro: "Conversar com gente bruta? Vocês querem dialogar com fascistas?". Ângela entrou na roda e deu uma folha de papel aos estudantes, e o mais afoito jogou-a no chão. Olhei para baixo e li o título de um poema: "O lamento da flauta".

Tarde de sexta-feira na Encontro

Ajudei Jairo a separar os livros estrangeiros por país e em ordem alfabética. Fizemos isso até o começo da noite. Depois ele pediu que eu juntasse todos os cartazes, Jorge não ia mais projetar filmes no auditório. Jairo cortava lentamente um cartaz com tesouradas tortas, parecia mais inquieto que apressado; parou para atender o telefone e, sem largar a tesoura, esperou um pouco e disse: "Martim ainda está aqui. Quantos? Está bem, vou levar tudo para lá. E os cartazes dos filmes? É pra cortar tudo? Não posso guardar pelo menos...?".

"Jorge disse que você pode levar cinco livros", disse a voz nervosa. "Amanhã de tarde a gente termina de arrumar isso."

Escolhi os livros e disse que poderia chegar mais cedo para ajudar na arrumação.

"Mais cedo? A que horas?", ele disse, estranhando a própria pergunta.

"Meio-dia... ou depois do almoço. Amanhã é sábado, não vou ao campus."

"Melhor depois do almoço", ele disse, olhando o chão.

Ficou ajoelhado e continuou a cortar cada cartaz com gestos mais lentos, fazendo um esforço doloroso: ele não queria mutilar os belos cartazes dos filmes que tínhamos visto no pequeno auditório da Encontro, as sessões noturnas terminavam em debates e festas. Jairo sofria a cada tesourada, o suor escorria do queixo e gotejava nos pedaços de *Deus e o diabo na terra do sol, Le notti bianche, Il gattopardo, Ladri di biciclette*...

Quando saí da Encontro, luzes brancas na Torre de TV desenhavam uma rena puxando um trenó; na Asa Sul, pequenas lâmpadas vermelhas piscavam em árvores natalinas nos jardins das superquadras. Talvez fosse arriscado ir a um bar. O Nortista não se intimidava. *Você e o moço do Amazonas não têm costas quentes,* dissera Faisão, depois de entornar um copinho da cachaça Forças Ocultas. O embaixador devia ter motivo para afirmar isso; estava atolado no pântano de intrigas do Ministério das Relações Exteriores, ameaçado por alguma trama torpe do Itamaraty. Sentia-se traído, acossado, resistia na loucura e, de dentro dela, construía sua fortaleza. Não tinha deixado a razão na Europa, como dizia Fabius. Havia lampejos de razão nos escombros da mente atormentada. Quando comenta livros de poesia, parece lúcido e revela entusiasmo. Ontem, após o jantar, Fabius e a mãe dele saíram da sala, não queriam ouvir Faisão falar de Tennyson, Emily Dickinson, poetas franceses. Os versos jorravam quase sem pausa do fundo de uma memória alucinante, como uma onda atrás da outra, até chegar a Wallace Stevens: "Um poeta taciturno e discreto, um dos poucos norte-americanos que não visitaram Paris... Mas o cubismo e o surrealismo influenciaram a poesia dele. Traduza um poema de Stevens ou de Auden, meu jovem… ou este, de Apollinaire. Vamos traduzir juntos, é assim que se aprende outra língua, outra cultura. Lendo, tentando traduzir…".

A embaixatriz apareceu na sala, esperou o marido engolir a cápsula branca e voltou ao quarto; depois ele observou a pintura do retrato da mulher, quem sabe sorvendo do rosto jovem o tempo da paixão aguda, da gula nas festas eróticas, do gozo que a velhice dificultava. Tão perto da pintura que os dois rostos quase se tocavam, como se o amor verdadeiro e profundo fosse a bela figura feminina recortada no fundo da noite de São João, e não a mulher dormindo no quarto.

"O amor, jovem…", ele murmurou, afastando-se da parede até sentar na banqueta do piano e abrir uma partitura de um chorinho de Nazareth.

Os trechos que tocou me entristeceram, e a lembrança de acordes tão melódicos me lançou para o tempo presente, ainda mais sombrio: esta madrugada parisiense, longe do Brasil, sem meus amigos, sem Dinah e Ângela, sem minha mãe. Fantasmas que surgem a qualquer momento entre o anoitecer e a primeira luz da manhã…

Talvez seja isto o exílio: uma longa insônia em que fantasmas reaparecem com a língua materna, adquirem vida na linguagem, sobrevivem nas palavras…

Bar Beirute, Brasília, noite de sexta-feira

Na área externa do bar, meus amigos ocupavam mesas entre a mangueira e a jaqueira, a folhagem das duas árvores formava volumes densos, mais escuros que a noite quente de dezembro.

Vana arrumava cartas de baralho na mesa e o Nortista lançava um olhar incrédulo à namorada. Em outra mesa, Fabius tentava beijar os lábios fechados de Ângela.

"Ele se sente culpado pela grosseria no almoço de terça-feira", riu Ângela. "Agora é o casal ali que está tomando veneno. Vana quer saber como anda a vida amorosa com o Nortista. Olha como ele sente medo do olhar dela. Parece que Vana juntou três ciganas numa cartomante, três mulheres em uma, só para tirar a sorte. Com que rima a sorte, Martim? Com o amor ou com a morte?"

Fabius se assustou com essas palavras, a língua de Ângela bordejou o copo, sorveu a espuma da cerveja, e os lábios grandes se abriram, molhados; eu ia perguntar por Dinah, mas um rosto rosado e cheio de energia pediu licença, leu um poema e entregou um folheto a Ângela. O poeta aceitou um copo de cerveja e bebeu de uma só golada; depois riu, os dentes enormes. Ele era de Cuiabá, e estava aprendendo a gostar de Brasília; conhecia Fabius de vista e queria publicar um poema do folheto na *Tribo*.

Sem olhar para o poeta, Fabius disse que ia ler os poemas na reunião seguinte da revista.

"O.k., obrigado."

Foi até uma mesa perto do bambuzal, apoiou-se numa palmeira e leu em voz alta outro poema.

"Mais um poeta andarilho", disse Fabius. "Ou um viajante imprudente."

"Tu acreditas nisso?", disse a voz do Nortista. "Espadas, ouros, paus… Nosso destino na porra desses naipes e números. Onde está o coração?"

O Nortista embaralhava as cartas, Vana o encarava como se quisesse hipnotizá-lo.

"Vana soube que o Nortista transou com a Dinah", disse Fabius.

"Quando?"

"Quando soube ou quando transou?"

"Quando transou?"

"Faz tempo, remador… na década passada. Mas só agora Vana sentiu ciúme."

"Porque só soube hoje", disse Ângela. "Logo depois da assembleia, Damiano reuniu nosso grupo de teatro. Ele acha que o curso de artes cênicas está por um fio. Quando lembrou a primeira encenação do grupo, o Nortista falou pra Dinah: 'Nossas três noites em Taguatinga'. Vana perguntou: 'Que noites?'. Dinah não queria saber do passado, só se interessava pela tarde de hoje."

"Lázaro se meteu na conversa. Criticou a leviandade do Nortista, disse que não era hora de falar em transa, e chamou Damiano de conciliador… um conciliador que acredita na velha tática de recuar, pra depois conquistar espaço político. Damiano não quis discutir. Ele sabe que Lázaro tem voz e liderança no movimento estudantil. Acho que Lázaro está empolgado, convoca reuniões, vive fazendo conchavos…"

"Mas é isso que você faz na *Tribo*, Fabius", disse Ângela. "Por que não convida o poeta de Cuiabá para a reunião de segunda-feira? Ele é neto de alemães, traduz poesia alemã, escreve poemas sobre Brasília…"

"Onde você conheceu esse cara?"

"Eu também sou poeta e andarilha, Fabius. Uma viajante imprudente. A gente se encontrou no Festival de Cinema e num recital de poesia na ermida Dom Bosco. Leva o folheto dele pra reunião da *Tribo*."

Uma cadeira rolou no chão, o Nortista alcançou Vana na calçada e segurou-a pela cintura; ela girou o corpo e deu um tapa no rosto do namorado; cartas do baralho se espalharam na calçada, ela atravessou a rua do setor comercial e sumiu no jardim da superquadra. O Nortista a seguiu e entrou na passagem escura.

Cidade amordaçada: o medo sufoca o amor..., leu o poeta de Cuiabá.

"Vamos falar com o Lélio?", sugeri.

"E Vana?", perguntou Ângela. "Por que a gente não vai falar com ela?"

Um garçom se aproximou da mesa: "Os amigos de vocês foram embora sem pagar a conta".

"Não vou falar com ninguém", resmungou Fabius. "Esses putos jogam com a sorte, depois brigam e eu caio com a grana."

Cidade sem amor morre no vazio... Da solidão nasce a poesia.

Sábado, 9 de dezembro, 1972

Uma cerca baixa de madeira contorna o jardinzinho do barraco caiado, Luiz Gonzaga canta um baião, a voz do rádio vem de um barraco vizinho e se mistura com as vozes de crianças e de um soldado no bate-bola na terra quente. Uma carroça com botijões de gás parou no outro lado do córrego, o carroceiro atravessou a pequena ponte de tábuas e tocou uma buzina de borracha, mas a mãe de Lázaro não apareceu.

Quase uma da tarde: o sol seca o córrego, uma palmeira desfolhada parece um mastro abandonado, fincado no solo crestado. No ônibus para o Plano Piloto, o soldado sentou ao meu lado; segurava uma sacola de plástico cheia de mangabas e olhava pela janela as superquadras ajardinadas, limpas e espaçosas da Asa Sul. Desci na altura da 107, o soldado raso seguiu para a rodoviária: comeria um pastel, tomaria um copo de caldo de cana, depois entraria na fila da bilheteria, conversaria com soldados do Exército e da Aeronáutica, passariam o fim de semana com a família em alguma cidade de Goiás, Minas, do DF, ou no subúrbio de Goiânia.

No apartamento do embaixador, dona Vidinha passava roupa: não me viu, continuou sorrindo, sonhando, ouvindo uma toada no radinho.

Só ela estava em casa?

13h10: batidas secas na porta do escritório

Fabius olhou de viés a fotografia do jovem Faisão: o estudante do internato do Caraça nem desconfiava que teria um único varão, agora na minha frente, procurando palavras, olhando de soslaio o pai ainda jovem, fotografado ao lado do lobo-guará. Procurar palavras é a sina do filho na presença do pai, mesmo se for da imagem...

Passou a mão na bermuda salpicada de barro, aí jogou na minha cara: eu tinha seduzido Ângela mas ele não estava chateado, nem um pouco. Não era por isso que eu devia sair do apartamento.

"Minha mãe não quer estranhos em casa, Martim. Você pode dormir na saleta da Super Comfort. Fala com o Nortista na reunião de segunda-feira. Vocês se dão bem. O teu colchão está lá. De vez em quando você vem tomar banho e comer aqui."

Foi embora sem me dar tempo para falar sobre Ângela e a minha situação, de hóspede estranho.

Tarde de sábado, e noite...

Vitrines e estantes da Encontro, vazias; o acesso secreto ao escritório de Jorge Alegre estava aberto para o corredor estreito, sem luz. Pedaços de cartazes de filmes no chão. Esperei Jairo até o fim da tarde; desci a W3, toquei a campainha no térreo da Super Comfort, nem sinal do Nortista. A livraria, vazia, me inquietava. Um lugar deserto, talvez fechado para sempre, lembrava a ausência da minha mãe: nosso desencontro. A casa da família baiana, também fechada, o Nortista não tinha passado por lá, dormia despreocupado na saleta. "Já apaguei da memória a invasão da casa, Martim. Só me lembro dos amores e da infância. É o que me interessa do passado."

Comprei um misto-quente no Mocambo e fui até a Igrejinha: o pequeno templo projetado por Niemeyer parecia uma tenda de pedra esculpida na noite. Uma mulher envelhecida, apoiada no pilar solitário, me chamou; reconheci o rostinho enrugado e as duas tranças sebosas, feito cordas de algodão sujo.

"Sou a virgem mais velha da capital, menino. Vamos dançar na igreja?"

Num relance, notei que a Igrejinha estava fechada, mas a velha foi mais rápida: pegou meu sanduíche, começou a chupar e morder o pão com a gengiva; o rosto de boneca velha avermelhou quando uma radiopatrulha passou devagar, rondando a superquadra. Mastigava, lambia os dedos e me encarava séria, como se me acusasse. De que me acusaria? Alguém gritou meu nome: era a Baronesa, na janela da sala iluminada. O Nortista estaria lá em cima? Ela acenou: que eu subisse ao apartamento.

Sentado no tapete, Fabius fez um gesto frio com a mão que segurava o cigarro.

"Lélio almoçou aqui", disse Vana. "Trouxe um poema e o argumento de uma peça de teatro. Ele quer publicar os dois textos na *Tribo*."

"Poesia, teatro e fumo... Os pais do Lélio sabem que ele só faz isso?"

"Mas tu ganhaste um bom dinheiro com as latas de doce", disse Vana à tia.

"Um bom dinheiro? Tu não sabes de nada. Quantas vezes eu ajudei teu namorado? Tenho amigos que gostam de fumar, acho que toda Brasília gosta. Abusei da paciência do coronel Zanda, mas agora chega."

A empregada me ofereceu um copo com guaraná e se encostou na mesa; usava um vestido branco com estampa de borboletinhas cor de sangue; o cabelo preto e fino, coberto por uma touca cinzenta, dava ao rosto uma feição religiosa. Quando a moça voltou à cozinha, Áurea disse que o Nortista vivia na pendura, endividado: gastava tudo, até o dinheirinho que recebia do pai.

"Por falar em pai, almocei com o engenheiro Rodolfo e a tua madrasta. Fui convidada pelo sócio dele, amigo da Margarida. Brasília é a província mais espaçosa do país. E aqui a gente não escolhe os amigos."

Os lábios finos se abriram para o meu rosto: "Teu pai está aborrecido contigo. Não sei qual é o problema entre vocês... tua mãe ou o dono daquela livraria?".

"A Encontro está trancada e vazia", eu disse. "Alguma coisa aconteceu com Jorge Alegre. Qual é o número do telefone dele?"

"Só Damiano Acante sabe", disse Vana.

"O professor comunista?", perguntou a Baronesa.

"O professor de artes cênicas", respondeu Vana.

Fabius queria ir agora mesmo à Colina.

"A Colina é perigosa", advertiu a Baronesa. "Vocês não deviam ir para lá."

Desisti de ir à casa de Damiano quando Fabius me olhou como se eu fosse um intruso.

O que a gente pode fazer, filho?

Papai deve sair de Brasília... Uns dois meses na melhor clínica de Belo Horizonte.

Mas ele não vai se internar, não vai admitir. Esse ministro está destruindo teu pai...

Não é o ministro nem o Itamaraty, mãe, é muito mais. O poder... Essa política destruidora, o Brasil nas mãos desses brutos ignorantes...

As vozes cessaram; Fabius abriu a porta do escritório, o olhar e a voz menos hostis:

"Você não incomoda a gente, Martim. Minha mãe sente vergonha do meu pai, vergonha do que ele diz e faz. Às vezes eu acho que ele está por um fio. Me contou as conversas contigo sobre poesia e a África. Quando ele fala disso, o fio da razão engrossa e eu reconheço meu pai. Mas, quando sonha que recebeu uma mensagem do Itamaraty, tudo fica escuro na cabeça dele. Os amigos mais íntimos foram afastados do ministério. Alguns nem estão no Brasil. Minha mãe gosta de você, mas ela se envergonha dessa situação, por isso pedi pra você sair daqui. Mas pode ficar mais uns dias. Sei que não deve ser fácil morar com o Nortista naquela saleta. E agora perdeu o emprego na livraria... Você precisa de dinheiro?"

"Tenho dinheiro para alugar um quarto, Fabius. Vocês conseguiram falar com o Damiano?"

"Vana estava angustiada. Hoje de tarde o Nortista leu o primeiro ato de uma peça que ele está escrevendo. *A Dama de Espadas*. Áurea se reconheceu numa personagem e ficou ofendida. O Nortista quis provocar ou agredir a Baronesa. Essa Dama da peça não é a Áurea, mas ela ficou incomodada. E, quando alguém se identifica com uma personagem, parece que não consegue se livrar dela. É como se você quisesse se livrar de uma mentira em que acredita. O Nortista leu mais de dez páginas. Ele sabe que não pode publicar um texto tão grande na *Tribo*. Leu com uma voz feminina, a voz dessa Dama que não é a Áurea mas que pode ser ela. O Nortista pensa que tudo na vida é teatro, encenação. Imitava a voz rouca, o riso e os trejeitos da Baronesa, aí ela deu um chega pra lá e expulsou ele do apartamento. Vana estava entre dois fogos e não sabia o que dizer. O Nortista saiu rindo, e ainda ficou um tempo no hall do elevador, lendo o texto em voz alta, até o fim do primeiro ato. Vana se sentiu mal quando a gente estava perto da Colina. Dei meia-volta, achei melhor passear um pouco. Parei a Kombi no Eixo Monumental e perguntei pra Vana por que estava chorando. Ela abriu a porta e vomitou no asfalto. Depois disse que Jorge Alegre ia morrer, todos nós íamos morrer nesta cidade. Ela quis ficar na Igrejinha, ia rezar por Jorge Alegre e pensar no significado dos naipes e números das cartas. Voltei pra Colina. Damiano estava na sala com uma amiga chilena. Bebiam cerveja e eu tive a impressão de que conversavam sobre um assunto secreto. Por quê? Não sei. Os dois ficaram calados, me olhando como se eu fosse um espião ou um extraterrestre. Aí eu disse que você tinha encontrado a livraria trancada e vazia. Perguntei se Jorge Alegre estava bem, e por que ele tinha fechado a Encontro. Damiano me encarou com aquele olhar de obstinação e esperança, e disse que Jorge teve que fechar a livraria, mas ele e o Jairo estavam bem. Pediu pra te dizer isso."

Domingo, 10 de dezembro, 1972

Cedinho, Fabius me avisou: iria com os pais dele a Corumbá de Goiás, voltariam à noite. Faisão, de bom humor, pôs as mãos nos meus ombros e me chacoalhou: "A África, jovem... Pense na África. Você e sua consciência".

Fabius piscou para mim e imitou a voz paterna: "Você e sua consciência, jovem paulista".

A liberdade de estar só, nem que seja por um dia... Fiz uma ligação a cobrar para o chalé de Santos: Ondina quis saber se Rodolfo ainda vivia com uma mulher, eu confirmei.

"E ele não te convidou para morar na casa dele? Teus pais não têm jeito mesmo."

Hoje, na missa, ela ia rezar para que eu voltasse logo para São Paulo. "Meu filho foi morar nos Estados Unidos. Quer ser um grande fotógrafo em Boston. Tua mãe não apareceu mais, nem telefonou. Agora sou mãe sem filhos. E você também, sem família, na solidão..."

Ondina não terminou a frase.

Lembrei a voz de Faisão, talvez citando Wallace Stevens: "Todo poeta fala do sentimento da solidão e escreve na solidão. Não é a razão que nos faz tristes ou alegres, é o sentimento, a meditação sobre o sentimento..."

Ele havia indicado nos livros de Stevens, Auden e Apollinaire os poemas que eu deveria traduzir. "Um hóspede tem seus deveres. Traduza esses poemas para a *Tribo*. Meu filho só traduz letras de canções, e olhe lá."

Peguei o *Dicionário Oxford*, reli o poema de W. Stevens e comecei a traduzir a última parte, o poema inteiro não caberia na *Tribo*. Ao meio-dia, um telefonema. Dinah. Os pais dela iam viajar para São Paulo amanhã de manhã, nós podíamos passar três dias juntos. "Vou cedo pra UnB. Depois do almoço a gente se encontra aqui em casa ou no jardim da superquadra. Traz as tuas coisas, mala e cuia."

Três noites com Dinah... Essas noites futuras, promessas de prazer, excitavam minha imaginação, que já se lançava a uma viagem enquanto eu lia "Lettre-Océan" e outros poemas de *Ondes*, de Apollinaire. A solidão é também um convite à viagem, mas os objetos da sala e as lembranças insinuavam que eu não estava só. O piano... A cabeça cinzenta de Faisão, os braços caídos no teclado, sons confusos de notas graves e agudas. O olhar do retrato feminino me atraiu: olhar atento e ambíguo, para dentro e para fora. E um sorriso quase imperceptível. Guignard pintara com tons um pouco escuros o rosto da futura embaixatriz, o branco dos olhos vibrava na tela, e no canto direito superior a figura de um balãozinho ocre subia na noite junina.

Esquentei a comida, tirei da geladeira uma garrafa de tinto (Garrafeira, safra 1966), almocei e arrumei a maleta. Mais vale arrumar a mala... Amanhã, depois do café, me mudo para a casa de Dinah. Não vou mais ao campus, só resta a disciplina do Borromini, a múmia da academia dos mortos-vivos. Está perdida, essa disciplina. Às quatro e meia da tarde, reunião com o pessoal da revista. Quinta-feira vou dormir na sala da Super Comfort. Liguei para Vana e dei a notícia sobre Jorge Alegre.

"Por que o Fabius não me avisou?", disse a voz sonolenta.

"Você acordou agora?"

"Não acordei, porque não dormi, Martim. Cheguei em casa às três da manhã. Áurea me esperava na sala. Não acreditou que eu fiquei conversando com uma velha na porta da Igrejinha. Áurea pensa que eu estava com o Nortista. Ela embirrou com ele e não quer que eu vá à reunião da *Tribo*. Passei o resto da noite e toda a manhã fazendo a primeira triagem de fotos, desenhos e textos. Dezenas de poemas de amor, quase todos melosos. Agora vou levar comida pra velha da Igrejinha. Disse que era virgem e quis me ensinar a transar. Casou três vezes, e em cada noite de núpcias esfaqueou o marido. Por isso ainda é virgem."

Datilografei a tradução na máquina preta e pesada do embaixador. "The Man with the Blue Guitar" é um poema longo e difícil. *Jogue fora as luzes, as definições,/ E diga o que você vê no escuro*. Dúvidas: *no escuro* ou *na escuridão*? *as definições* ou *a clareza*? O *Oxford* não pode decidir. Amanhã cedo vou mostrar a tradução ao Fabius. Antes de 1964 ele morou uns anos em Londres; já traduziu artigos da *Melody Maker* e letras de canções de Lou Reed; às vezes, numa conversa, solta palavras em inglês: esnobismo ou memória da infância londrina?

Entre 17h e 17h30 tocou a campainha. Vi pelo olho mágico os olhos cor de melaço, os lábios grossos, um pouco abertos. Uns segundos em silêncio, assim Ângela iria embora. Permaneceu quieta, à espera da minha fraqueza. Usava roupa colorida, de cigana, e uma flor vermelha espetada no cabelo da cor dos olhos. Ângela sabia que a família Faisão tinha ido a Corumbá de Goiás; ainda estava magoada com a mãe do Fabius, sentia pena do embaixador, e do Nortista, abandonado na saleta da Super Comfort.

"Sinto pena de todos vocês. Meu pai quer que eu me separe do Fabius, antes que seja tarde demais. Não sei o que ele quis dizer, mas um senador que é braço direito do governo está por dentro de quase tudo. Fiquei amedrontada e o medo me inspirou. Escrevi um poema sobre a insônia e o medo... Eu sou a minha insônia, eu sou o meu medo. Vou ler pra você."

Leitura com pausas prolongadas, talvez para conter a emoção. Mesmo de olhos fechados, eu podia ver a beleza do rosto de Ângela; não conseguia pensar em nada, apenas escutava a voz, que uns cinco minutos depois silenciou. Procurei Ângela na copa, na cozinha, no quarto de Fabius. Um riso nervoso me fez pensar em algo maligno. Deitada na cama do casal Faisão, segurava as duas folhas do poema; pediu que eu ficasse ao lado dela.

"Não me interesso por ninguém da *Tribo*, Martim. Já transei com quase todos vocês, nenhum me atraiu. Atores frustrados, poetas e artistas frustrados. Menos Dinah, o Oceano da peça *Prometeu*. Ela é a saúva ordeira e paciente, mas sabe ser escorpião e águia. Fabius não é ator nem poeta, só pensa no curso de direito e no sofrimento do pai. Toda a minha energia é pra livrar esse pobre homem da loucura. Dizem que é um grande intelectual. O nome dele aparece nas reuniões em casa. Uma das grandes cabeças do Itamaraty, só que essa cabeça vai derreter no fogo da piração. Você fica perto de mim, não vai acontecer nada nesta cama..."

Na penumbra não via com nitidez o rosto de Ângela; ela precisava expulsar o demônio do leito de Faisão, e começou a rezar uma oração estranha. Puxava a colcha bordada, se enrolava no pano e rezava. As duas orações pareciam récitas declamadas por uma voz fervorosa. Quando saiu da cama e acendeu a luz, vi os olhos molhados de tanta emoção. Me deu as folhas dobradas e implorou que eu lesse o poema na reunião da *Tribo*. Prometi que ia lê-lo. Ela se sentia melhor, bem melhor. "Uma oração para cada maldade, Martim. Ontem rezei pra livrar o Nortista da Vana e da tia dela. Essa Baronesa conspira o tempo todo. Odeia o Lélio, a *Tribo*, o teatro, todas as artes... Vana é uma vítima da fraqueza, mas está aprendendo as malícias da Áurea. Depois rezei pra livrar minha mãe da luxúria, meu pai nem sonha com o que ela faz. Noites de minissaia, de exibição e pecados... E o senador em reuniões com políticos na sala. Quando ela chega de madrugada e entra pela área de serviço, ainda estão falando de negócios, terras valorizadas em Águas Claras, Taguatinga, Gama... Alianças políticas, rodovia Transamazônica, essa porra toda. Vejo as coxas brancas da minha mãe e sinto cheiro de putaria. Cada pecado, uma oração. Um dia vou rezar pela tua mãe no Vale do Amanhecer. Sei que ela não escreve mais para você, mas a festa da ilusão nunca acaba... Por que me olha assim?"

"Você contou pro Fabius...? Aquela noite no quarto da Vana?"

"Não disse nada pra ele, Martim. Vana não viu a gente transar, mas contou coisas pro Fabius. Ela falou o que quis, a imaginação faz o diabo. Por isso não confio nela, em nenhum de vocês... Agora é melhor você arrumar direitinho essa colcha, senão a mulher do embaixador vai desconfiar. Vou beber água."

Arrumei a cama, apaguei a luz; quando ia à cozinha, Ângela me chamou do escritório. Nua, sentada no sofá-cama, as mãos nos seios, como a tinha visto numa aula de artes cênicas. "A primeira noite com Dinah foi aqui? Ela não pôde transar contigo. Tocou uma punhetinha. Mas o amor não é só isso. E por trás, ela deixou? Não quis, não é? A bundinha da atriz militante é sagrada."

Tirou minha roupa com gestos lentos e deitou de costas. "Não tem nada sagrado no corpo nem no sexo. É o nosso último dia de amor? Ninguém sabe o que é isso, o amor. Ninguém sabe da vida, cara. Cada um esconde o seu destino..."

Falava umas coisas malucas e depois ria das próprias palavras; perguntava e respondia, sempre em dúvida; ria no gozo e não se parecia nada com a rezadora meio louca, meio carola. Me deixou triste quando foi embora; talvez seja essa a resposta a tantas perguntas de Ângela: a tristeza depois do gozo.

Levei a garrafa de vinho português para o escritório, tentava ler o poema datilografado, ouvia a risada nervosa de Ângela e a voz que rezara as orações da "Grande viagem cósmica" e da "Energia para os sôfregos deste mundo". Meu olhar se concentrou numa das fotografias do internato de Caraça. Faisão lia um discurso e ainda não sabia, nem mesmo intuía, que iria enlouquecer na capital de seu país, onde se multiplicam os místicos e os trânsfugas.

Quase meia-noite de um domingo que prometia ser tranquilo... A lua, as estrelas e o cheiro do cerrado devolvem a natureza a Brasília, mas o silêncio é enganador...

*

A família Faisão chegou às dez e pouco; fui vê-los na copa, onde comiam sanduíche de lombinho. Faisão perguntou pela garrafa de vinho, eu disse que estava vazia, no escritório; ele quis abrir outra, mas a mulher o proibiu: "Você vai tomar o medicamento, não pode beber".

Aproveitei para dizer que ia embora amanhã cedo; Fabius olhou para a mãe, Faisão colocou a cápsula branca na língua, me encarou com um olhar soberano, indiferente ao universo; engoliu a cápsula com um gole de água e perguntou se eu ia embora do apartamento ou de Brasília.

"Do apartamento, embaixador. Vou dormir três dias na casa da minha namorada. Depois vou procurar um lugar."

A mulher foi para o quarto, Faisão balançou a cabeça, negando; pôs outra cápsula na palma da mão esquerda, observou-a como se fosse um amuleto, e virou o rosto para mim.

"Faz bem em sair daqui, jovem. Depois de dormir sete noites numa casa alheia, o hóspede vira uma pessoa indesejável. Saia daqui amanhã, depois da oitava noite. A próxima pode ser agourenta. Mas é inútil procurar um abrigo na capital. O melhor é sair desta cidade... você e o vendedor de doces."

Fabius quis impedir o pai de engolir a cápsula, os dois se entreolharam, e desta vez vi no rosto do filho uma expressão miserável.

"Quero dormir sem sonho", disse a voz grave de Faisão. "Sem nenhum som ou imagem na minha mente."

Ele me encarou com o mesmo olhar soberano: "Sabe com que se parece um sono sereno? Com a morte, meu jovem...".

O grito da embaixatriz veio do fundo do corredor; depois do grito, um choro desesperado, raivoso, e o estalo de uma porta se fechando. Fabius correu para o quarto do casal, Faisão engoliu a segunda cápsula e disse que a viagem a Corumbá de Goiás só não tinha sido mais tediosa porque Fabius dirigia como um louco. "Minha mulher vomitou na ida e na volta. Eu devia ter ficado aqui em casa. Agora quero dormir em paz. Cedo ou tarde vou ser convocado para uma audiência no Itamaraty, por isso minha mulher está chorando."

Abriu uma garrafa de Bordeaux e encheu duas taças: "Vamos brindar à poesia e à liberdade, jovem. Vinho e poesia, antes do cerco final...".

Fabius apareceu na copa segurando um envelope branco, com timbre do Senado: "Ângela passou por aqui?".

Fiz um gesto negativo.

"Como é que essa carta da Ângela foi parar no banheiro dos meus pais? Uma carta lacrada, endereçada pra minha mãe... Por que você está mentindo? Ângela não devia ter entrado aqui."

"Mocinha atrevida", riu Faisão, oferecendo uma taça ao filho. "Pelo menos ela escreve bem?"

Apartamento dos pais de Dinah, superquadra 105 Sul, segunda-feira, 11 de dezembro, 1972

Madrugada de desassossego no escritório do embaixador. Ia escrever uma carta de agradecimento ao casal Faisão, mas há noites sem palavras escritas, as palavras ficam aprisionadas no pensamento.

Deixei a tradução do poema de Wallace S. na soleira da porta do Fabius, às cinco da manhã levei a maleta para a sala e fiquei lá, diante de livros, discos e lembranças, como se tivesse vivido os últimos dias da juventude na casa do diplomata. Fim da juventude, consciência da aprendizagem, e da solidão. Em algum momento eu o vi apoiado no piano, calado e também insone, resistente às cápsulas que o dopariam, talvez angustiado com a ameaça de ser internado na "melhor clínica de Belo Horizonte". Parecia que o homem estava ali, me dando o único abraço dos meus oito dias de hóspede, folheando a partitura de um chorinho de Nazareth, depois apontando uma sacola na banqueta do piano e dizendo que havia escolhido uns livros para mim; Faisão e sua voz sumiram no fim da noite, quando senti o cheiro de bebidas misturadas: o vinho tinto de terras distantes e a cachaça Forças Ocultas, de Minas. Pouco depois, na padaria Nova Alvorada, recordei as palavras do embaixador: *A cabeça do padeiro é a cabeça do Brasil.* Apoiado ao balcão, folheei os livros de poesia que tanto cobiçara, e outros que eu retirara das estantes e deixara separados para ler.

Às duas da tarde, Dinah me esperava no gramado da 105, ela acabara de chegar da UnB. "Fiz uma prova final e entreguei os trabalhos. Não vi Damiano nem os outros amigos, parece que o campus capitulou antes da batalha. O desânimo da impotência, do vazio. A impotência não deveria ser nossa única liberdade."

Eu ia falar da Ângela, da carta que ela deixou para a embaixatriz, e do embate noturno na casa do Faisão, mas o olhar da Dinah parecia intuir tudo. O orgulho dela era mais forte que a minha culpa; ou não era orgulho, e sim autossuficiência, uma crença poderosa no que ela fazia sem nunca se gabar e até mesmo sem se dar importância; talvez Ângela percebesse isso, pois Dinah nem sequer a desprezava.

"Parece que você saiu chateado da casa do Fabius", ela disse, quando abri a maleta. "Mas ganhou livros preciosos e duas garrafas de tinto. O diplomata foi generoso com o hóspede? Vamos brindar com esse vinho francês."

Brindamos pelos três dias que íamos ficar juntos. Dinah leu o poema de W. Stevens e depois a tradução das últimas estrofes. "Não conhecia nada desse poeta. O embaixador te ajudou a traduzir? Então não fala nada pro Fabius. Se você falar, ele vai ficar enciumado. Mas não é só isso. Fabius e Vana são os dois censores da *Tribo*, Martim. Não percebeu que eles metem o bedelho em tudo, até nas fotografias e histórias em quadrinhos? E o Fabius é metido a anglo-saxão... textos em língua inglesa, só com ele. Você invadiu o território do filho do embaixador. Será que ele vai aprovar tua tradução?"

Bebemos o resto do vinho na cama do casal de economistas: primeira tarde de amor na casa dos futuros sogros, numa Brasília nublada, úmida; acordei com o estouro de uma trovoada, o corpo amolecido, a luz do abajur acesa: Dinah lia um livro grosso de história, apoiado na barriga nua; a mão esquerda acariciou minha cabeça: "São quase seis horas".

Fechei o livro, ela afastou minha boca dos seios dela e me olhou: "Martim, a reunião da *Tribo* não estava marcada para as quatro e meia? Acho que estão contando com você. É melhor ir logo, antes do temporal".

O poema da Ângela... não queria lê-lo na presença do Fabius, depois de uma noite de conflito. A tempestade desabou quando eu me aproximava da Escola Parque; o gramado das superquadras e a W3 Sul encharcados de água barrenta, lojas e bares fechados, o barulho do temporal abafava os sons da cidade. Na calçada do Cine Cultura vi a placa luminosa da Super Comfort, senti um arrepio mórbido e me refugiei sob a marquise do cinema. Meus amigos e outros participantes da *Tribo*, enfileirados, de braços erguidos ou com as mãos na nuca, entravam devagar num camburão. Contei oito ou nove pessoas, reconheci apenas Fabius e Vana. Um policial à paisana, baixo e atarracado, segurava o braço de uma moça que tentava se afastar da fila. Eu não a conhecia, os demais também eram desconhecidos. Esperei uns segundos, ainda vi a moça se desgarrar do policial e cair na calçada. A placa luminosa da Super Comfort foi apagada, voltei sem apressar o passo, seria imprudente correr ou olhar para trás. Ninguém por perto. Saí da W3, andei em zigue-zague pelas superquadras, e, quando cheguei à 105, um carro preto estacionava em frente ao bloco B. Esperei uns minutos, um gorducho engravatado apareceu no térreo, abriu um guarda-chuva e correu até o carro. Subi pela escada e toquei a campainha da área de serviço. "Todos presos", eu disse a Dinah. "Se tivesse saído quinze ou vinte minutos antes, estaria com eles. Fabius sabe que eu vou dormir aqui."

"Por que foram presos?", ela perguntou. "Lázaro é o único líder estudantil da nossa turma, e ele não estava lá."

Maquinamos os motivos da prisão: os textos da *Tribo* criticados por Lina em sua carta? Um artigo sobre o Cinema Novo, as entrevistas com Lúcio Costa e um diretor de teatro? A foto do Boal, no exílio?

Dinah sentiu minhas mãos geladas e percebeu que eu estava apavorado, mas não se alarmou: me deu uma toalha, e disse que minha roupa era só barro e lama. "O Fabius marcou uma reunião da *Tribo* na tarde do dilúvio. Como é que ele sabe que você está aqui?"

"Ontem contei que ia ficar três dias com você. Acho que o Fabius não esqueceu."

Lá fora, a tempestade caía sobre Brasília. Dinah tirou da maleta a outra garrafa de tinto; sem nervosismo nem calma disfarçada abriu a garrafa e encheu as duas taças; as mãos dela, ao contrário das minhas, moviam-se com gestos firmes, sem sobressalto. Bebemos em silêncio e passamos a noite na cama, como acontecera durante a tarde. A prisão dos nossos amigos não diminuiu o entusiasmo sensual de Dinah, uma corrente de desejo passava pelos nossos corpos, entregues ao amor.

Quando acordei, Dinah já havia saído do quarto; a chuva cessara, nuvens escuras com frestas de claridade escalavam o céu; à minha direita, vi no console o casal de economistas num porta-retratos. O nariz de berinjela estava ali, inteiro no rosto ambicioso, de uns trinta anos. Mas o rosto que eu conheci e a voz que escutei, além de ambiciosos, pareciam ávidos de poder. Com a idade, máscaras diversas vão cobrindo o rosto das pessoas, até que uma, definitiva, não se descola mais da pele e dos olhos. Talvez seja o caso do meu futuro sogro, cuja máscara repetia numa tarde de fevereiro: "nossas exportações fabulosas de cítricos e grãos...". No lençol úmido, o livro de história que Dinah lia estava aberto. Na página de rosto, o selo da Civilização Brasileira e o nome de Lázaro. Recordei a voz e o rosto de dona Vidinha no barraco sombrio de Ceilândia, e a noite já distante na delegacia: os gritos anônimos no fundo de um corredor, o Nortista teimando em ver uma mariposa cinza numa mancha bolorenta na parede, o olhar misterioso e altivo de Lázaro.

Dinah tinha feito café e me esperava na sala.

"Você não viu mesmo o Nortista? Por que ele não estava com os outros? Será que já estava dentro do camburão?"

Terça-feira, 12 de dezembro, 1972

"A mãe do Fabius me deu a notícia, Martim. Ela me avisou que tu estavas aí, na casa da tua namorada. Como tu escapaste? A polícia vai te encontrar", advertiu a Baronesa no telefone, com uma voz que não deixava dúvida.

"O que eu fiz? Publiquei poemas e traduções na revista. É por isso?"

"Interessa o motivo? Não sei onde a Vana e os outros estão detidos, mas conversei com um advogado e com vários políticos. Já falaste com o teu pai?"

"Não."

Ouvi a Baronesa dizer:

"Então vai embora de Brasília o quanto antes. Viaja para São Paulo. É a tua cidade. Contrato um chofer de confiança para te levar a Goiânia."

"Não conheço ninguém em Goiânia, Áurea."

"Deixa de ser leso, rapaz. Meu chofer não vai perguntar nada. É arriscado embarcar na rodoviária de Brasília. Tu finges que vais visitar um amigo em Goiânia, só isso. Aí tu pegas um ônibus para São Paulo."

"E o Nortista?", perguntei, ignorando a sugestão absurda da Baronesa.

"Sei lá", ela afirmou, com desdém. "O Lélio não era um dos cabeças dessa *Tribo*? Se ele não namorasse minha sobrinha, não ia mover uma palha para soltar esse parasita."

"A prisão da Vana pode prejudicar a amizade da tia dela com militares e políticos", disse Dinah. "A Baronesa tem medo de perder os amigos, medo de perder o poder. Mal conheço essa mulher. Sei que ela sabe bajular as pessoas certas. Minha mãe já me contou coisas. A Baronesa é coringa de qualquer jogo. Estou preocupada com o pessoal da *Tribo* e com a dona Vidinha. Vou a Ceilândia. Dona Vidinha deve estar preocupada com o Lázaro."

"Lázaro é um líder provisório", eu disse. "E só é líder por vaidade."

"Não é por vaidade", ela discordou, com uma frieza irritante. "Ele participa há muito tempo do movimento estudantil e da formação de atores em Taguatinga. Você não se envolveu. O Nortista participa de passeatas e protestos, mas nunca teve saco pra reuniões políticas. Ele provoca a liderança e acaba sendo expulso. O Fabius emprestava a Kombi pra gente pichar muros e panfletar. Ele se gabava desse grande gesto heroico. A liderança de Lázaro não é nada provisória."

"O que você vai fazer em Ceilândia? Dona Vidinha não está na casa do embaixador Faisão?"

Dinah disse apenas que não ia demorar muito. Demorou algumas páginas de anotações e a leitura de um livro de poesia da biblioteca do embaixador. Quando chegou de noitinha, disse que dona Vidinha não trabalhara durante a tarde.

"Ela soube que o Fabius foi detido e ficou preocupada com o Lázaro, mas eu disse que ele não estava na reunião da *Tribo*. Quando a gente falou do Fabius, do Nortista e da Vana, ela chorou. Mas acho que ela não conhece a Vana."

Noite (terça-feira)

"Era a Baronesa no telefone, Martim. O advogado já sabe onde eles estão detidos. Não estão no mesmo lugar.

Parece que dois ou três foram transferidos para o Setor Militar Urbano."

"O Nortista...?"

"Não sei. Os parentes estão mobilizados, mas até agora os contatos da Baronesa não deram em nada. Alguém ligou para cá?"

"Não."

"Tem certeza? Ou você atendeu e desligou?"

"O que a Baronesa te disse?"

O rosto de Dinah se contraiu. Era muito raro vê-la assim: os lábios pressionados pelos dentes, o olhar grave, pesado. A raiva da impotência. Intuí que nós dois teríamos de renunciar a algo que eu ainda não sabia.

"Você guardou o dinheiro...? O dinheiro do cheque do teu pai?"

"Pra quê? Pra pagar um advogado?"

"Pra morar em São Paulo, Martim. Você pode continuar os estudos na USP. Eu não vou ficar muito tempo em Brasília. Meu pai está cada vez mais entusiasmado com este governo. Eu não vou suportar viver ao lado dele, nem na mesma cidade. Mas você não pode esperar. O Dops está atrás dos outros participantes da revista. Alguém abriu o bico na delegacia, os nomes apareceram. O teu, o meu, todos os nomes da *Tribo*... Pessoas que a gente nem conhece. Se a polícia baixar aqui, nós dois vamos ser presos. A casa do Lázaro e o apartamento do Damiano não são lugares seguros. Não tem lugar seguro. Vou ligar pra minha mãe, é o jeito. A Baronesa acha que você deve viajar amanhã cedo pra Goiânia e passar o dia num parque perto da rodoviária. Depois você pega um ônibus noturno pra São Paulo. O motorista vem te buscar antes das seis. Essa espertalhona gosta de você ou do teu pai? Não viaja com a maleta. Tenho uma sacola de lona. Cabem todos os livros."

Dinah só conseguiu falar com a mãe pouco antes da meia-noite. Pediu a ela que voltasse a Brasília no dia seguinte. "Não dá pra contar tudo. Diga pro meu pai que eu adoeci, que Brasília toda está doente e precisa ser internada. Diga qualquer coisa, mãe..."

São quase cinco horas da quarta-feira. Não dormi esta noite, a última com Dinah em Brasília. Enquanto escrevo, penso nesta separação indesejável e recordo o adeus da minha mãe. Cinco anos. Uma fotografia e algumas cartas remendadas. Li no primeiro caderno o que meu avô tinha dito na noite natalina de 1967: "Você ouviu tua mãe dizer que ela não pode mais viver com o teu pai. O destino dela está nessas palavras". Em São Paulo, longe do meu pai, estaria mais perto dela, mesmo sem saber onde mora. Dinah não sabia o que dizer sobre o silêncio da minha mãe, talvez não quisesse arriscar uma opinião, com medo de me ferir. Várias vezes me perguntou por que Lina não me dizia onde morava, e essa é a pergunta que eu tenho feito o tempo todo para mim mesmo. O sítio no mato não deve ser um lugar inacessível.

Parque das Rosas, rodoviária de Goiânia, quarta-feira, 13 de dezembro, 1972

Não prolongamos a despedida. Abracei o corpo nu, senti a saliva amarga do último beijo. Lá de baixo, vi a mão direita de Dinah abrir a cortina da sala; detrás do tecido branco, o rosto e os seios pareciam sombras refletidas em água agitada. O Simca Chambord saiu às seis horas do estacionamento da 105 e entrou no Eixo Rodoviário. O lago e o Plano Piloto se distanciaram, como se submergissem às minhas costas. O cheiro, as vozes e visões de Brasília morriam e voltavam: o ar cristalino das manhãs na Asa Norte, as aulas na escola e no campus, as caminhadas nas trilhas até a beira do Paranoá, o rosto de Dinah, os lábios de Ângela, meus amigos enfileirados na tempestade, a ausência do Nortista, a voz do embaixador Faisão falando da África, de poetas e do cerco final, tudo se misturava na turvação da distância. A capital perdia sua forma, e o cerrado, cercado de vazio, era uma perspectiva sem pontos de fuga.

Mas restava a história...

O motorista, homem de confiança da Baronesa, só abriu a boca quando tirou um envelope do porta-luvas: "Dona Áurea mandou pra você".

Dentro do envelope, dois mil cruzeiros e um bilhete: "O chofer vai te deixar na avenida Anhanguera, perto do parque das Rosas e da rodoviária".

Nenhuma palavra sobre o dinheiro.

Desci em frente ao parque e esperei o Simca Chambord ir embora.

Agora Goiânia era rota de fuga.

"Fugir é uma aprendizagem", dissera Dinah em algum momento da madrugada, nos intervalos do amor. "Passa o dia no parque ou num bar perto da rodoviária. Aproveita para ler e escrever. De noitinha compra a passagem no primeiro ônibus pra São Paulo."

Não queria que eu telefonasse para ela. Senti a mesma morbidez daquela noite em Goiânia, quando não consegui falar com tio Dácio, e me angustiava no quarto do Grande Hotel, à espera da minha mãe. Escutava Dinah dar notícias sobre os nossos amigos e o Nortista, depois a voz dizia: "Goiânia é tão perto, vou pegar um ônibus, a gente passa a noite juntos...".

A voz de Dinah, ausente, era a voz que eu imaginava nas cartas que minha mãe não escreveu para mim. Já começava a ver a capital e o meu passado com olhos de desertor, me sentia culpado e acovardado por fugir, por não ter ido à reunião da *Tribo* na hora marcada, por não dividir com os meus amigos uma cela da polícia política, uma culpa que crescia, como se fosse um crime. Uma traição à tribo de Brasília.

Na solidão da viagem, uma parte da minha vida saía de mim, o coração dividido pela amargura e a esperança: não sabia se ia rever Dinah, quem sabe se encontraria minha mãe...

Agradecimentos

Arlene Lamas, Aurelio Michiles, Eliete Negreiros, Horacio Costa, Ruth Lanna e Tuna Dwek me estimularam e, de algum modo, me ajudaram a escrever os três romances desta série.

Agradeço também aos amigos Adrien Marechal, Antonio de Pádua Gurgel, Bruno Lombard, Carlos Marcelo, Catherine Lathelier-Lombard, Heloisa Doyle, Joaquim Melo, Lia Aurora, Márcio Suzuki, Mauro Malin, Michel Riaudel, Miguel Koleff, Mohamed Bougheroumi, Monique Lathelier, Nicolas Behr, Orlando Cariello Filho, Rafaela Biff Cera, Vitor Alegria, Zetho Gonçalves, e Arnaldo Carrilho (in memoriam).

Este primeiro volume de O Lugar Mais Sombrio resultou de uma ideia talvez involuntária de Luiz Schwarcz. Sou profundamente grato a ele e aos editores e amigos que leram os originais e me deram ótimas sugestões: Márcia Copola, Otávio Marques da Costa, Rita Mattar, Ruth Lanna e Samuel Titan Jr.

1ª EDIÇÃO [2017] 3 reimpressões

ESTA OBRA FOI COMPOSTA POR OSMANE GARCIA FILHO EM MERIDIEN E IMPRESSA PELA GEOGRÁFICA EM OFSETE SOBRE PAPEL PÓLEN SOFT DA SUZANO S.A. PARA A EDITORA SCHWARCZ EM JULHO DE 2021

A marca FSC® é a garantia de que a madeira utilizada na fabricação do papel deste livro provém de florestas que foram gerenciadas de maneira ambientalmente correta, socialmente justa e economicamente viável, além de outras fontes de origem controlada.